朝イチの「ひとり時間」が人生を変える

キム・ユジン
小笠原藤子 訳

文響社

起きて！
人生が
変わるから！

My Days Begin at 4:30 a.m.

一日一日が積み重なり、日常は作られる。
だからもしあなたが最近、納得した日常を送れていないなら、
今日を昨日とは違う一日にしてみるのはどうだろう。

いつもと違う一日を始める方法は簡単だ。
ただ、普段と違う時間に起きればいい。
いつもより早く起きて、ベッドメイキングをし、朝食をとろう。
追われるように身支度をするのではなく、
朝をゆったりと過ごすだけで、
昨日とは違う今日が広がっていく。

そして、今までと違う朝が積み重なれば、
あなたの日常は劇的に変化していくのだ。

毎朝4時15分に起き、一日を始める。明け方のルーティンが終わるまではスマホをいじらない。明け方の静けさが、私の一日を決める。

ウォルト・ディズニー・カンパニーCEO
ボブ・アイガー

朝は6時20分に起き、カプチーノやお茶を飲んだ後、50分程度運動をする。運動を終え、朝食前に20分ほど瞑想する。

人気司会者・俳優
オプラ・ウィンフリー

早起き自体は、一生懸命働いたから成功するというシグナルではない。その時間に何であれできるように、自分の中から潜在能力を引き出すことが重要だ。

ヴァージングループ創業者
リチャード・ブランソン

誰もがワーク・ライフ・バランスを維持できる。心、体、健康、家族、人間関係をうまくコントロールするのは、まさに自分にしかできないことだ。

JPモルガン・チェースCEO兼会長
ジェイミー・ダイモン

私の毎日の最優先課題は、身体的であれ、精神的であれ、私自身を幸せにしてくれるものだ。すべてのルーティンは、このたった一つの目的につながっている。

元米国大統領夫人
ミシェル・オバマ

日常で唯一、一貫性のあるスケジュールは起床時間だ。邪魔されることなく、思いを巡らすことができる明け方は最も生産的な時間だ。

女性向け投資ファンドエレヴェストCEO
サリー・クラウチェック

世界は常に急速に変化し続け、何が起こるかわからない。だから毎朝、気を引きしめて一日を始める。勝利するには、自分自身も俊敏に変化を遂げる必要がある。

ペプシコ前CEO
インドラ・ヌーイ

朝は4時30分に起きる。ジムに行き、1時間程度運動をする。
誰もが朝4時に起きる必要はない。何時であっても、起きて体を動かすことが重要だ。

米国海軍特殊部隊元指揮官
ジョッコ・ウィリンク

グローバルリーダーたちの朝の過ごし方

私は早寝早起きをする。朝は新聞に目を通したり、コーヒーを飲んだり、子供たちと朝食をとって楽しんでいる。こんな余裕ある時間が私にはとても大切だ。

アマゾン創業者
ジェフ・ベゾス

朝起きたとき、明るい未来を予感できたら、その日は良い日。
そんな気がしないなら、良くない日。

テスラおよびスペースX共同創業者・CEO
イーロン・マスク

朝、私は心を静かに整える。健康のために体を動かし、そこで何かしら習得する。そうすれば、すでに大きな勝利を収めた状態で一日を始めたも同然だ。

ツイッター共同創業者・元CEO
ジャック・ドーシー

私は夜にたっぷり8時間寝るので、朝はアラームをかけずに起きる。
自然に起きられれば、それが一日の最高の始まりだ。

ハフィントン・ポスト創設者
アリアナ・ハフィントン

朝には45分程度の運動を欠かさない。運動が終わったら、汗で濡れた服を脱ぎ捨てる。するとその日は頭がすっきりし、一日中エネルギーがみなぎる。

トリーバーチ創業者・CEO・デザイナー
トリー・バーチ

私は毎朝3時45分に起きる。膨大なメールを念入りにチェックする。それからジムに行き、1時間ほど運動する。私は毎朝、自分の幸運を実感している。

アップルCEO
ティム・クック

プロローグ

早く起きるだけで、もっといい人生が送れるのなら

私の毎日は、朝4時30分に始まる。

そのおかげで会社に勤めながらも新しいことに挑戦し、趣味を楽しみ、本の執筆まで手がけながら、追い求めてきた人生を歩んでいる。言うまでもなく、仕事は疎《おろそ》かにしない。

朝起きるのがつらくないかって？

もちろんつらい。長いこと明け方起床を実践してきたが、今でも眠りから覚める瞬間は体が鉛《なまり》のように重い。それでも、この刹那に負けて、あれこれ言い訳してまた眠ってしまえば、代わり映えのない人生から抜け出せないとわかっているから体を起こす。

二〇一七年に米国の司法試験（ＢＡＲ）に合格して、韓国で企業内弁護士として働く

ようになってからというもの、学生時代に抱いていた期待とは裏腹に、同じ日常の繰り返し。

朝は寝ぼけ眼《まなこ》のまま体を引きずるようにして出勤。夜は疲れきってぼうっとテレビを見たり、スマホで意味もなくSNSをチェックしたり、ネットサーフィンをするのが唯一の楽しみだった。仕事が終わると、何もしたくない。無気力なのかうつ病なのかわからないが、いつもふ抜けの状態だった。

そんな私には、切実に変化が必要だった。ヘアスタイルを変えたり、新しい服を買って単に気分転換するのではなく、人生をすっかり変えられるような特別な時間を持ちたかった。


とはいえ、特別な方法など何も思いつかなかった。

そもそも何をするのも億劫《おっくう》なのに……変化なんてあり得ない。

そんなとき、ある日たまたま、朝早くに目が覚めた。

思いがけず、人生のボーナスタイムを得た気分だった。

そういえば、以前にも習慣化していた時期があったのだが、明け方に起床すると、もう「時間がない」と言い訳できなくなる。日中、起きている時間が多いから、やらなければならないこととは別に、やりたいことができる。夜に急な約束が入ったり、残業のせいで予定が変更しても、やりたかったことができなくなることはない。

朝の時間をどう活用するかで、その日にできることや自分が得られる機会が変わってくる。明け方起床によって、人生のボーナスタイムを手にできる。

だからといって、私は「朝型人間になりなさい」と強要するつもりはない。「睡眠時間を減らして、何か立派なことをしなさい」というのでもない。私自身、明け方起床を始めるときに睡眠時間を減らすことはしなかった。早起きするからといって、朝からたいそうなことにチャレンジする気もなかった。

私が朝4時30分に起きてしたことは、自分の心を覗《のぞ》いてみること。今自分が本当にしたいことは何か、これから自分にできることは何なのか、考えてみることから始まった。

働いているときの私は、弁護士であり会社員だ。でも明け方の私は、自分自身が何者なのかを決めつけたりはしない。与えられたチャンスに限界を設けることもない。

そうすることで次第に変わっていく自分の姿を発見でき、日々が楽しくなった。さらに頭の中で描いてきた自分の姿が現実化されると、人生そのものが変わっていった。

一日24時間は、誰にでも平等に与えられている。その時間をどう使うかは、その人次第。

では、どうすればもっとうまく時間を使えるか、それを一人で悩む必要はない。現実を慌ただしく過ごすうちに失ってしまった自分だけの時間をどう確保したらいいのか、この本を読めばわかるだろう。

今、心の中にある傷や悩みはしばらく忘れ、新たな世界へと一歩踏み出したいと願うなら……この本を踏み台にしてほしい。

あなたの新しい変化を心より応援している。

キム・ユジン

グローバルリーダーたちの朝の過ごし方 —— 4
プロローグ　早く起きるだけで、もっといい人生が送れるのなら —— 6

PART 1 明け方は裏切らない

Chapter 1 朝早く目覚めたらすべてが変わった —— 20
無症状の心の病 —— 20
明け方の静けさがくれるエネルギー —— 25
明け方は休息時間 —— 29

グローバルリーダーたちのモーニングルーティン1　ティム・フェリス —— 34

Chapter 2
私が朝4時30分に起きる理由 —— 36
明け方は自分がコントロールする時間 —— 36
明け方には自分を最優先しよう —— 39
グローバルリーダーたちのモーニングルーティン2　アリアナ・ハフィントン —— 42

Chapter 3
あなたが眠っている間に誰かは一日を始めている —— 44
多くの成功者はすでに一日を始動 —— 44
明け方、新たな門が開かれる時間 —— 49
グローバルリーダーたちのモーニングルーティン3　ジェフ・ベゾス —— 54

Chapter 4
急ぐのではなく早く始める —— 56
計画通りにいかない人生 —— 56
一日を少し早く始めるだけで充分 —— 58
グローバルリーダーたちのモーニングルーティン4　トリー・バーチ —— 62

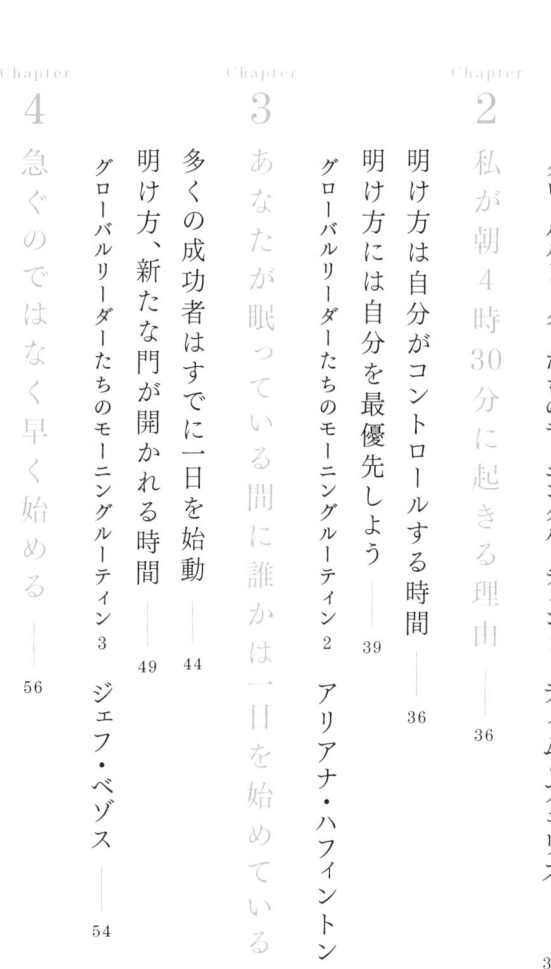

PART 2 朝4時30分、新しい自分に出会う

Chapter 5 朝4時30分に起きる方法 ― 66

5、4、3、2、1、起きよう! ― 66

明け方起床を楽しめる人と断念する人の違い ― 68

自分だけの「時差」に適応する ― 70

グローバルリーダーたちのモーニングルーティン5 ジャック・ドーシー ― 74

Chapter 6 疲れの原因は朝ではなくあなたにある ― 76

明け方起床のポイントは就寝時間 ― 76

充分な睡眠時間を確保できないなら ― 79

早起きできない日があっても気にしない ― 83

グローバルリーダーたちのモーニングルーティン6　ティム・クック——86

Chapter 7
明け方を意義あるものにしたいなら——88
常に特別な何かに取り組む必要はない——88
明け方の過ごし方1　先延ばしにしたことをやる——91
明け方の過ごし方2　体を動かしてみよう——94
明け方の過ごし方3　読書が人生を変える——97
明け方の過ごし方4　趣味を楽しむ——100
明け方の過ごし方5　早朝の勉強が持つ驚きのパワー——104
グローバルリーダーたちのモーニングルーティン7　ボブ・アイガー——108

Chapter 8
朝型人間の週末の過ごし方——110
土曜日は、さらなるボーナスタイム——110
心から息つく日曜日——113
グローバルリーダーたちのモーニングルーティン8　イーロン・マスク——116

PART 3 少しずつ成長する方法

Chapter 9 時間ではなく自分を管理する ── 120

時間は管理できない ── 120

日々の習慣がチャンスを生む ── 122

グローバルリーダーたちのモーニングルーティン9 オプラ・ウィンフリー ── 126

Chapter 10 自分磨きは一人で行うもの ── 128

寂しさは自分に集中せよというシグナル ── 128

一人で何かに打ち込むことを恐れないで ── 132

最高のライバルは自分自身 ── 138

グローバルリーダーたちのモーニングルーティン10 リチャード・ブランソン ── 144

Chapter 11
心に余裕を生むマインドミニマリズム ―― 146
心の余裕の作り方 ―― 146
人間関係にもミニマリズムが必要 ―― 148
グローバルリーダーたちのモーニングルーティン11 ジェイミー・ダイモン ―― 156

Chapter 12
ここは目的地ではなく通過点 ―― 158
私がしたいことは何？ ―― 158
夢は変わることもある ―― 161
グローバルリーダーたちのモーニングルーティン12 ナンシー・ペロシ ―― 164

Chapter 13
今こそ小さな幸せを探しに出かけるとき ―― 166
暗闇で明るく見える幸せ ―― 166
幸せを先延ばしにするのはやめよう ―― 168
幸せを見つける具体的な方法 ―― 171
グローバルリーダーたちのモーニングルーティン13 ミシェル・オバマ ―― 174

PART 4 人生を変えるモーニングプランナー

Chapter 14 司法試験合格の秘訣 —— 178
再挑戦を可能にした時間配分 —— 178
本当に時間がないのだろうか？ —— 188
グローバルリーダーたちのモーニングルーティン14 サリー・クラウチェック —— 192

Chapter 15 私の一日は朝4時30分に始まる —— 194
寝る前に明日の準備 —— 194
明け方に起きたら、自分だけの時間 —— 200
出勤したら、弁護士としての自分が登場 —— 204
昼休み、自分の健康が最優先 —— 205

退勤したら、自分だけのナイトルーティン —— 206
グローバルリーダーたちのモーニングルーティン15　ジョッコ・ウィリンク —— 208

Chapter 16
一日をコントロールするスケジュール作成法 —— 210
時間は誰にでも平等 —— 210
STEP1 起床時間から就寝時間までを検証する —— 212
STEP2 調節できない時間を可視化する —— 214
STEP3 空いている時間に、活用可能な時間を確保する —— 217
STEP4 ボーナスタイムを確保する —— 223
グローバルリーダーたちのモーニングルーティン16　インドラ・ヌーイ —— 230

エピローグ　明け方は、変化の種を蒔く時間！ —— 232
参考文献 —— 236
特別付録 —— 239

PART 1

明け方は裏切らない

Chapter 1

朝早く目覚めたらすべてが変わった

無症状の心の病

二〇一七年、年末。私は米国での学業すべてと一年間におよぶ裁判所での契約スタッフとしての勤務を終え、韓国に帰国した。その後、国内の大企業に就職し、弁護士としての社会人生活を始めた。

夢にまで見た弁護士資格を取得し、希望の会社に合格し、とうとう安定した人生を送れる！　そのときは世界のすべてを手に入れたかのような気分だった。これからは勉強も受験もしなくていいんだと思うと、幸せに浸った。頑張って会社に通いさえすれば、すべては順調にいくはずだった。

それからの日々は他の社員と同様、何の変哲もなく流れていった。

朝6時半の通勤バスに合わせて6時に起床し、身支度をして出勤。移動時間にはうたた寝あるいは、スマホを見つめてオンラインニュースに目を通す。会社では仕事の合間に、同僚たちと少し息抜き。周囲を気にしつつも定時で上がり、友人を呼び出してチキンとコーラで気分転換、時には無理やりにでもジムに行き、運動と呼べるかわからない程度の汗を流す。帰宅後はさっと夕飯を済ませ、翌日の出勤に備えて早くベッドに入る。

このような生活は嫌いではなかった。むしろ、毎日同じルーティンの生活は社会人として当たり前のことだと思っていた。私はもう学生ではなく、弁護士であり社会人なのだから、新しいことや目立った行動はせず、真面目に通勤してさえいれば何の問題もない、と考えていたのだ。私だけでなく、同僚たちもみんな似通った生活をしているように見えた。そうやって毎日淡々と仕事をこなし、平凡な日々を過ごしていた。

社会人になってから特に変わった点といえば、あえて睡眠を多くとろうとしたことだった。疲労がたまって仕事に支障をきたすのではないかと不安だったからだ。暇さえあれば、とにかく体を休めていた。

実のところ、そうやって無理にでも休まないと死んでしまいそうだった。

ここ数年、米国のロースクールの入学準備やら成績の自己管理、試験勉強、就職活動と休む暇なく走り続けてきた。やっとのことで弁護士になったものの、社会人生活は弁護士になるよりも大変だろうと思っていた。だから「これからはもう頑張りすぎない。休めるときに休めるだけ休もう」と考えたのだ。そうやって、ただ何も考えずに本当の自分を後回しにしていた。

週末も特別に何かすることはなかった。ただベッドと一体になり、スマホで友達のSNSを見たり、芸能記事を読んだりしながら時を過ごした。月曜日にはまた頑張らないといけないから、自分だけが休んでいるわけじゃないから、みんなこうやって生きてるんだから……。

でも、いくら休んでもエネルギーは充電されなかった。むしろ時間が過ぎるにつれ、だんだん疲れが増し、イライラが募り、気が滅入っていった。ある日は不眠症に悩まされ、またある日は夕飯も抜いて寝てばかりいた。何かしたいと思う気さえ、もはや起こらなくなっていた。

自分がだんだんおかしくなっていることに気づいたのは、いつもと変わらないある朝だった。会社に着くなり、デスクの上に置かれていたノートブックが目に入った。するど、途端にわけもわからず、涙があふれたのだ。誰かにつらくあたられたわけでもないのに息が詰まった。泣いている姿を同僚に見られないように、慌ててトイレに駆け込んだ。

「ふぅ……いったいどうした？」

独り言を言いながら顔を洗った。鏡に映った私はぐちゃぐちゃだった。

それからの私は自分でも手がつけられなくなっていった。いつからか、会社で一日耐えられるだけでもう満足するようになった。ネガティブ思考は救いようがなかった。目を開く瞬間から眠りに落ちるまでずっと、起きてもいないことに無駄に頭を悩ませ、疲弊していった。会社を出ても、仕事でミスはなかったか、もっとうまくできなかったのか、明日提出の書類は整っているか、繰り返し確認した。「時間がない」というのが口癖になり、栄養剤という栄養剤はすべて飲んだにもかかわらず、疲労はたまる一方だった。

その上、海外での生活が長いからか、私は人にあれこれ指摘された。米国では問題なかった言動が、韓国ではよく誤解を招くことがわかった。

だから一緒に仕事をする同僚はもちろん、韓国で会うあらゆる人と会話をするとき、私はしくじらないようにいつも緊張していた。知らず知らずのうちに他人の顔色ばかりうかがうようになり、友達や家族とも、会話をする時間が減っていった。私がすることはすべて間違いで、私が話すことはすべて不適切だと噂されているように感じていた。誰にも、ありのままの自分は受け入れられないんだと思い、自尊心が低くなった。

身の置き場のない社会を経験し、学生時代、死ぬほど勉強したときに経験した心の病に再びかかってしまったようだった。弁護士の同期や職場の先輩、友達に心の内を打ち明けてはみたものの、こんな返事が戻ってくるだけだった。

「みんな同じだよ。私たちの仕事なんて、まあそんなもんでしょ」

「キム先生、会社でそれはＮＧですよ」

「ユジン、韓国でそれはタブーだな」

耐えきれず、とうとう私は爆発してしまった。ある晩、チームのグループチャットに積もり積もった怒りをぶちまけたのだ。翌日、出勤するやいなやチーム長に呼ばれ、お叱りを受けた。悔しくて、やるせない思いでいっぱいになり、反省するどころか「二週間以内に辞めよう」と心に誓って会社を後にした。

明け方の静けさがくれるエネルギー

暇さえあれば寝ているのに、朝起きるのがなんでこんなにつらいんだろう？　全エネルギーはどこに消えている？　もしかして消費した分だけ充電されるとか？　どうしてこんなに無気力なんだろう？　仕事が合わない？　会社に問題がある？　休暇や旅行が必要？

いくら考えても明快な答えは出なかった。

そんなある日、明け方4時頃に目が覚めた。普段なら二度寝を試みるのだが、やけに目が冴えていた。早めに出勤しようとも思ったが、風邪を引きそうな予感がし、ポットに保温していたお茶を注ぎ、食卓の椅子に座った。久しぶりに感じる明け方の静けさだった。静まり返って耳鳴りが聞こえるほどだった。

「せっかく早起きしたんだから、机でも片付けちゃおうか？」と立ち上がりかけたが、すぐに「や〜めた。どうせ週末にまた掃除するんだから」と手にした雑巾を置いた。本でも読もうかと本棚を見回したが、会社で一日中活字を目にしているのに、朝っぱらから読書というのも嫌になりやめた。運動しに出かけようとしてはみたが「死ぬほど寒いのに？」と断念した。

何もしたくなかった。無気力症？　でなければ、会社がつらすぎてうつ病にでもなった？　その日はなぜかただ温かいお茶を飲みながら、静かなひとときを楽しんでいたかった。

そうして座っていると、妙な安心感に包まれた。本当に久しぶりに持てた、ひとりの時間だった。積み重ねられていたネガティブ思考や不安な気持ちが、次から次へと浮かび上がってきた。

よくよく考えてみると私は、新しい環境にすぐ順応できない自分自身を快く思っていないと気づいた。他の人たちを見て「私もあんなふうに行動すべき？」「あんな態度を取らないといけない？」「こういう言い方をしないといけない？」と思いながら自分と比べ続けていた。そんな中で自分自身を見失いつつあったのだ。

私は白紙を取り出して、現在の問題点、原因、解決法、結論を書きとめるメモを作

り、考えを一つずつ整理した。この何ヶ月間、いくら頑張って働いても達成感が得られず、友達と会っても楽しめなかった。曖昧な人付き合いや、不要な書類が積まれたデスク、そんなデスクのように乱れた心、すべてを整理したかった。

何もせず、静かに頭の中を整理した明け方は、私を癒してくれる時間になった。**自分がどんな考えで、何を望んでいるのかもわからなかったときに訪れた、ふと立ち止まって人生を見つめ直すチャンスだった。**

昇る太陽を眺めつつ、こんなふうに心で叫んだ。

「よし、今日も頑張ろう！」

心も軽く家を後にした。会社に到着し、同僚に明るく挨拶をした。

「おはようございます。キム・ユジンです。昨日までの私は忘れてください。今日から生まれ変わりました。今まで以上に頑張ります！」

「あはは、キム先生、突然どうされました？　どこか具合でも悪いんじゃないですよね？」

予想外の反応だったが、気分は爽快だった。自分に欠ける部分を素直に認め、頑張ろうと決めた明け方の誓いのおかげだろうか？　金曜日でもないのに、気持ちは弾んだ。

翌日も普段の起床時間より2時間早く起き、白紙に心の内を書き出した。何が私を怒らせるのか、守るべき私だけの基準は何か、私が断念できることと断念できないことは何なのか、望むことは何なのか、じっくり考えてみた。**一歩引いて自分を観察し、点検することから一日を始めた。**

全部整理できたと思えるまで翌日も、またその翌日も、明け方起床は続いた。帰宅し、何もする気が起きず早寝したら、たまたま早く起きてしまったのが始まりだったが、ポジティブなエネルギーをすぐに得られるというご褒美につられ、進んで早起きするようになった。

普段の生活や仕事に大きな変化はなかったが、一日を少し早く始めたというだけで、多くのことが変わった。

朝、余裕を持って出勤準備ができ、会社に遅刻しないかと焦ることはなくなり、自分のコンディションもチェックできた。季節が巡れば衣替えをするように、毎日、新たな気分で自分自身と向き合い、不必要な悩みを整理した。すると気持ちがさっぱりした。いくら寝てもたまらなかったエネルギーがとうとう充電されるようになった感覚がした。こうなると、自分の人生も思ったほど悪くなかった。

退職も思いとどまった。忍耐力がついたからなのか、心が軽くなったからなのか、正確な理由はわからないが、職場での自信が芽生えた。仕事が「しなければならないこと」ではなく「できること」だと感じられるようになったのだ。

以前は「課長、私、ちゃんとできていますか？　問題があるようなら遠慮なく指摘してください」とびくびくして訊いていたが、今では「今回の訴訟は勝てると思います。私に任せてください！」と、自ら申し出たりもする。ただ、課長には「心意気はいいが専務にはそういう言い方はしないほうがいいよ。期待されすぎてしまうから……」と釘を刺された。やはり、会社は会社だった。

明け方は休息時間

毎日、明け方起床を実践する私に「ものすごく忙しそう。もっと力を抜いたら？」「ちょっと休んだほうがいいですよ。何もそんなに一生懸命生きなくても」と周囲の人々はとやかく言った。忙しいのは間違いない。一生懸命生きているというのも正しい。でも、もうつらくはない。

思えば私の人生、簡単に何かを手に入れたことなどない。これからも繰り返し話をすることになるが、いつも人より努力して耐えた結果、求めるものを得てきた。そんな私とは正反対に、楽々と生きている人もいる。詳しい内情まで知る由もないが、少なくとも彼らは私よりたやすくチャンスをつかんでいる。私がやっとの思いで到達した目的地に、息を切らすこともなく到達している。そういうタイプの人々に出会うたびに、どうしたらそんなにうまく事が運ぶのか不思議でならなかった。そして、無性に悔しくもあった。

でも時が経ち、いつの間にか私のような人生にもメリットが見つかった。人々が避けて通る険しい道は、私にとっては何回も通った道。その道を行く間じゅう、転んではまた起き上がった。暗闇の中でも、楽しみを見つける習慣だって身につけられた。大きな障害物があっても粘り強く押し進める方法や、息絶える寸前まで止まることなく走り続ける方法も学んだ。明け方起床は、まさにこのプロセスを可能にした支えだった。

人々は、私がもっと何かをしたいから4時30分に起きるのだと思っているが、私にとっての朝は、何かを成し遂げる時間にもできるが一時充電する休息時間でもある。つまり、明け方起床は、一生懸命生きる方法というより、一生懸命生きるための手段なのだ。

どれだけ疲れていても、静かな明け方に温かいお茶を飲みながら、好きな音楽を耳にしていれば、自然とエネルギーが満たされる。落ち込んでいるときも同じで、朝早くに自分だけの時間を過ごすことで、安心感が取り戻せる。

このような明け方起床の効果は、私だけにあてはまるわけではない。早起きは、精神衛生上、ポジティブに作用することが実際にわかっている。

70万人の遺伝子を分析したある研究によれば、朝型人間の遺伝子を持つ人は、そうでない人よりうつ病になる危険性が低く、主観的に幸福を強く感じられるという。人間の生態リズムは24時間より若干長いが、光を感知する網膜細胞が毎朝24時間に合わせこれを初期化し、日々にうまく適応できるように助けてくれるからだ。[1]

人々は休息といえば決まって朝寝坊するか、どこかへ遠出しないと、と考えがちだ。だが、私にとっては明け方起床が休息のひとときだ。**早起きして人生を楽しみはじ**

めてからは、日常にささやかな余裕が持てるようになった。もちろん、旅行に出かけて充電することもできる。でも旅行に行けば、どのホテルがリーズナブルか、どこを観光しようか、どこで食事しようかを考えるためにエネルギーを消費して、ゆっくり休むというより、何かに追われる気がするのも事実だ。

反面、通勤バスでまどろんだり、同僚たちとのランチの後にコーヒーを一杯飲みながら一息ついたりする程度の平凡なことでも心は豊かになる。会社の帰り、夕飯に舌鼓を打ち、温かいシャワーを浴びた後、ぬくぬくと布団にくるまりながら、今日一日を振り返ることでも。週末に公園のベンチに座って人間ウォッチングをしたり、新たに挑戦してみたいと思えるものがないかインターネットであれこれ検索しながら、ささやかな楽しみを味わったりすることでも。

要は何をするかではなく、頭と心が何を感じているのかで休息の質は左右される。**朝早起きすることで本当の余裕を知ると、複雑に絡まった心をしばし忘れられる時間を、日常でも簡単に見つけられるはずだ。**

頭の中を空っぽにして、心を静めることほど真の休息はない。私はこの真理を、明け方に最も強く感じる。誰にでもエネルギーを効率的に充電する、自分だけの方法がきっとある。明け方起床の時間に自分を解き放ってくれるものは何か、今一度考えてみよう。

グローバルリーダーたちのモーニングルーティン 1

人生は予測不能だ。思いもしなかった問題がどんどん持ち上がってくるが、そんな日の高波を乗り切りやすくするコツを私は二つ見つけている。どちらも、朝行う。

A＝マルクス・アウレリウスの『自省録』のようなストア派の本を数ページ読むことと、B＝自分にできる範囲で少なくとも二つか三つのことをコントロールすることだ。

（中略）

Bは自分にできることをやろう、ということだ。その日の気分がどれだけ最悪でも、どれだけ破滅的な展開になるかもしれなくても、自分のベッドは整えることができる。

そして、少なくとも私にとっては、そのことが最低最悪の日であっても、がけっぷちに指の爪一枚でしがみついて、まだ落ちてはいない、といった感覚を与えてくれる。自分の意思で行ったことが少なくとも一つはあり、人生のドライブにおいて、ハンドルに置いた片手を支えてくれる何かがある、という感じだ。

一日の終わり、最後に思い浮かべることが、自分がやり遂げたことになる。この習慣が私にとってどれほど重要になったかは、どれだけ強調しても足りないほどだ。とにかく、まずは自分のベッドを整えることだ。

――ティム・フェリス　作家・起業家　著書『巨神のツール[2]』より

Chapter 2

私が朝4時30分に起きる理由

明け方は自分がコントロールする時間

人々から、よくこんな質問を受ける。

「どうしてそんなに早く起きるんですか?」

「なんで4時30分なんですか? 同じことを午後にしたっていいじゃないですか」

私は明け方を「自分がコントロールする時間」と称している。それ以外の時間は「運命に任せる時間」と表現している。

考えてみれば、一日のうち純粋に自分の意思で使える時間はそんなに長くない。朝から晩までの計画とは無関係に、予想外の出来事で注意力を削《そ》がれ、時間を奪われることが多いからだ。

でも世の中が寝静まっている明け方の予定が変更される確率はごく稀《まれ》だ。いきなり連絡が来て一緒に食事しようとか、ちょっと話そうという人もいない。追加業務を頼まれることもない。気を引かれるような面白いこともそうそう起こらない。

明け方は誰も私に関心を持たず、私もまた誰にも関心を持たない。だから完全に自分だけの時間を、自分だけのペースで自由に活用できる。

明け方起床によって得たプラスアルファの時間は、起きることさえできれば、つまり自分との約束を守りさえすれば、いつでも追加で手にできる主体的な時間だ。そして、早く起きれば起きるほど「自分がコントロールする時間」を増やすことができるのだ。

私が明け方4時30分を選ぶもう一つの理由がある。それは、何事においても明け方ならよく集中できるからだ。**明け方は何かに邪魔される要素がないだけでなく、ぐっすり寝た後なので一日の仕事を終えてくたくたな夜よりずっと元気なのだ。**

明け方起床を実践する前は、私も夜に自分の時間を捻出しようとしていた。だが退勤する頃には、もう何もしたくなくなった。前日の夜に充分睡眠をとっても、仕事に気力を使い果たしてしまうため、夜になるとひどく疲れていた。ところが明け方はちがう。朝にはまだ、やりたいことにチャレンジする意欲があふれている。

一日を余裕あるものにしてくれる点も、私が朝型ライフスタイルを好む理由の一つだ。当然かもしれないが早起きをしてすべきことをあらかじめ済ませておけば、夜には心穏やかに一日を終えることができる。

また、明け方に起きたにもかかわらず、体調が優れなくて休んだり、物事に手こずったり、急な予定変更ですべきことを全部終えられなくても、夜にやり残したことを終えればいいと思えるから、焦り苛立《いらだ》つことなく平常心でいられる。

毎朝アラームが何度鳴っても起きられないのに、自分から明け方に起きるなんて本当に可能なのかと疑問を抱く人もいるだろう。でも、たった一度でも明け方起床に成功すれば、そのメリットに気づき、進んで起きられるようになる。

毎日ではなく週三回でもいい。4時30分ではなくいつもより1時間だけ早く起きるのでもいい。

早起きが成功すれば、たとえ短くても朝に自分だけの時間を持つことができれば、あなたの人生の満足度はがらりと変わってくる。時間に追われ、あちこち引きずられ

るのではなく、あなた自身が主導権を握って、自分の人生を歩みはじめることができるのだ。

明け方には自分を最優先しよう

体重が増えれば食生活を見直して運動するように、朝早起きするのは、仕事に疲れたときや人生に変化をつけたいとき、私がよく使う特別な処置だ。気が滅入るときは、自分を振り返ったりせず、自分をつらくさせる状況のせいにしがちだ。そのせいで、一日中ふて寝したり、すべきことを最大限先延ばしして現実逃避したりする人もいれば、極端な場合は、ギャンブルのような誤った誘惑にハマって、酒やゲームなど外部要素に過度に依存する人もいるだろう。

でも私は、人生に訪れるこのようなつらい時期を必ず避けて通るべきだとは考えていない。この時期が人生の転換点になり得るからだ。苦難や逆境より深刻な問題は、せっかく再び立ち上がるべき瞬間《とき》が来たというのに、スランプに足を取られていては日常へ戻りづらくなるかもしれないことだ。だから、そんなときは明け方起床で答えを見つけよう。

私の場合、明け方4時30分から出勤までが、日常のストレスを解消する自由時間だ。他人の顔色をうかがったり、その場の空気を読んだりする必要はない。外部からの刺激ではなく内面の声に集中でき、その結果、傷を癒し、少しずつ変化していく自分に出会えるのだ。


朝4時30分に起きると決めた特別な理由はない。夜10時頃寝ついたとき、疲労が残らない程度にぐっすり寝て、普段より早く起きるのに適当な時間だと判断しただけだ。4時30分に起きれば、いつもより余裕を持って動いても約束に遅れたり、予定を後ろにずらしたりすることはまずない。ゆっくりと目を開け、アロマキャンドルを灯し、静かな音楽を聴きながらコーヒーを飲み、机に座っても5時にもならない。

朝に余裕ができれば、普段したこともないベッドメイキングをして、本棚にたまった埃《ほこり》を払うこともできる。長めに熱いシャワーを浴びて凝った筋肉をほぐしたり、忙しくてなおざりにしていた髪にトリートメントをすることもできる。いつも抜いていた朝食もしっかりとることができる。それでも時間が余る日には、昼のお弁当までこしらえることができる。**このように朝を過ごしてみると、自分に与えられた一日、そして自分自身を大切にする方法に気づき、自然と自尊心が高まるのだ。**

すべては自分自身を最優先に置くことから始まる。私の心が赴くまま、私がしたいまま、わがままに見えるかもしれないが、自分が心地よく行動しながら自分を探す時間なのだ。

目を開けると同時に好きなことをして一日を始めてみよう。きっと週末のような朝を過ごせるはずだ。私は明け方に音楽を聴き、お茶を飲むだけでなく、好きな映画やテレビ番組を観たりもする。そのうち目標ができれば、それを達成するために時間を費やす。会社の仕事から離れ、やりたいことやプランを最優先に置くのだ。

人生に刺激が必要だったり、心がざわついたり、だらだらしがちなら、いつもより早起きして自分を最優先に置いてみよう。

やみくもに前に突き進むより、静かな明け方に少し立ち止まって温かいお茶を飲みつつ、自分が今いる空間は気持ちよく片付いているか、自分の健康をきちんと気遣っているかなど、セルフチェックするのだ。

さあ、今日から変わろう！

グローバルリーダーたちのモーニングルーティン 2

私は夜にたっぷり8時間寝るので、朝はアラームをかけずに起きる。
自然に起きられれば、それが一日の最高の始まりだ。

私は睡眠時間を神聖かつ不可侵の領域だと考えている。
まず、あらゆる電子機器をオフにし、それらをベッドルームの外に追いやる。
そしてキャンドルを灯してエプソムソルトを入れたお風呂に入る。
寝るときはジムで着るトレーニングウェアは着ないで
パジャマやナイトドレス、楽なTシャツを身につける。
脳に、寝る時間ではないと混乱させてしまわないかと思うからだ。

カモミールティーやラベンダーティーを飲むこともある。
または詩や小説のように仕事と全く無関係の本を読むこともよくある。

私は朝食を抜くタイプの人間だから、
人々が朝にとる食事を、昼や晩にとる。
朝には防弾コーヒー[注]を飲む。20~30分程度瞑想をし、運動をする。
時々このルーティン通りにいかなくても、自分を責めることで
残りの一日に影を落とさないようにしている。

――アリアナ・ハフィントン　ハフィントン・ポスト創設者[3]

注：Bulletproof Coffee。別名、バターコーヒー、完全無欠コーヒー。
シリコンバレー発祥の、ダイエット効果および健康効果の高いコーヒー。

Chapter 3

あなたが眠っている間に誰かは一日を始めている

多くの成功者はすでに一日を始動

朝4時30分に起きるだけで、私の人生は変わった。単に夜できることを早朝に片付けられるからではない。私は睡眠中に夢を見るのではなく、明け方に起きて夢を叶えようと努力できるようになったのだ。

夢に一歩近づくさまざまな方法のうちの一つは、私が進みたい道をすでに歩む人々と、直接やりとりすることにある。こうすることにより、目標に到達することに必要な実質的なアドバイスだけでなく、彼らのようになるには、絶えず努力しなければならないという前向きな心の刺激をもらえるのだ。ただ、その人たちの多くは私を知るはずもなく、まずこちらから連絡しなければならない。

もともと会ってみたい有名人や尊敬する人々に、やみくもに連絡をする。特に米国のロースクール時代、一週間に二日程度、普段から興味を持っていた人々にメールを送った。その相手は主に尊敬する法曹界の人、いつか会ってみたいと思う弁護士たちだった。公開されているメールアドレスが見当たらない場合は、直接手紙を送ったりもした。

初めは、こんな行為が失礼にあたらないか、私が彼らと比較してあまりにも劣りはしないだろうかと心配した。しかし私は学生であり世間知らずなのは明らかで、先方が多忙であれば勝手にメールを無視するだけだから余計な心配だった。それからは、いくら相手が有名でも、返信が来なくても、たいして意に介さなかった。むしろ学生という身分を利用し、バカみたいに見えてもお構いなしで、常日頃訊いてみたかったことを思いきり質問した。何の意味もないかもしれないが「どんな人がいるかわからないから」と、いつどうやって芽が出るかわからない種を少しずつ蒔《ま》いた。

驚いたことに、メールに返事をもらうこともあった。しかもコーヒーチャット（コーヒーを飲みながら会話する時間）を快諾してくれたり、メンターになってくれたのはもちろん、知人を紹介してくれる人まで現れた。しかし、実際に彼らに会って話をしてみると意外な事実がわかった。これほど有名な人たちは、普段学生たちからアドバイスを請うメールをたくさん受け取っているだろうと思っていたのだが、そうではないと知ったのだ。

時には想像以上のチャンスを得られることもあった。会ってみたかったある弁護士に、少し時間をいただけないかというメールを送ったところ、意表を突く返信が届いたのだ。

「明朝6時30分までに、ダウンタウンのレストランに来られますか？」

6時30分とは、私がメールを読み間違えたのかと思ってこのように訊き返した。

「もしかして、夕方6時30分のことをおっしゃっていますか？」

「いいえ。午前6時30分です」

翌日、朝の6時25分に約束の場所に到着した。「えっ？　これはなんの会合？」早い時間にもかかわらず、その場所には私が連絡をやりとりした弁護士だけでなく、管轄の裁判官や検察官、そして別の法律事務所の弁護士の人たちまで集まっていた。その瞬間、場所を勘違いしたのかと思ったほどだった。

実は、その日は女性法曹たちが周期的に設けている集まりの日だった。出勤後はそれぞれ多忙を極めるため時間の調整が難しく、朝の時間を活用して会うことにしていたのだ。メディアでだけ知っていた人々と朝食できるなんて、何ともないふりを装っていたが、実際は緊張しドキドキが止まらなかった。

今もどうしたらあんな幸運が舞い込んできたのかわからない。普段から試験に合格した暁には一緒に働いてみたかった法律事務所の代表である弁護士にメールを送ったのがすべてだった。そして朝6時30分までに約束の場所に行けるという理由だけで、ずっと憧れていた人たちと話をする幸運に恵まれたのだ。会合メンバーの一人が私に言った。

「朝に起きるのが大変じゃないなら、いつでもいらっしゃい。この集まりの他にも集まりは多いの。一つは朝7時にスタートよ」

「はい。これからもぜひ参加させてください！」

私は自信たっぷりに答えた。当時午前8時あるいは9時から授業があったため、6時30分の集まりに参加することは、全く無理ではなかった。そうして週に一、二回、この会合でいつも雲の上の存在だった法曹たちの生活がどんなものかを直接聞き、学ぶことができた。本では決して知り得ない実践的な教えだった。

ロースクール卒業後、司法試験に受かるまで裁判所で働きながら、会合メンバーたちとより親しく過ごすことができた。もう学生としてではなく社会人、そして法曹として出勤前に共に集まりコーヒーを飲み、朝食もとりながら多くのことを共有した。仕事が多く忙しさに追われても良好な関係は途切れず、今でもアドバイスをもらったり、助けを請うたりできる先輩後輩の間柄だ。

このように、明け方には想像以上に多くのことが起きているのだ。世間知らずな私が眠っている間に、ある人は私が望んでいる目標を叶えるために一生懸命勉強し、ある人は私が望んでいる地点にもう到達し、また新しい目標に向かって走りはじめている。彼らにとって明け方は睡眠時間ではなく、活動時間なのだ。

疲れているからとずっと寝転んでいたら、変化することも、遠くへ行くこともできない。反面、重い体を起こして新しいことに挑戦すれば、想像以上のチャンスが巡ってくる。そんなとき、しくじったらどうしようと恐れる必要はない。明け方に起きたという事実だけでも他の人々より一歩先にいるからだ。

誰にでも与えられる一日を、どのように使うかは自分の選択次第だ。そしてその決断によって人生は変わる。

明け方、新たな門が開かれる時間

私は韓国で就職するまで、いつだって仕事と勉強を両立してきた。たった一度でも勉強だけに専念したことはなかった。韓国で大学に通っていたときは、キャンパスでアルバイトをし、米国のロースクールに通ったときは、パートタイムで法律事務所に勤務した。ロースクールを卒業し、司法試験のための勉強に励んだときも裁判所で働いた。もちろん楽にできたわけではなかったが、これらのことを全部やり遂げられた秘訣は、思えば明け方の積極的な時間活用だった。

今の仕事、あるいは自分の専攻と全く無関係なことをしてみたいと思ったことはないだろうか？　趣味の範囲を超え、何かを真剣に始めてみたいと思うことは？

今していることをやめる勇気はないが、適当な時期を見計らっているうちに、絶好のチャンスを逃してしまわないかと心配になるケースがきっとあるはずだ。このように夢と目標に果敢に挑戦したいのに、家族や職場などの事情を無視できない状況なら、明け方起床の実践をぜひとも勧めたい。

明け方起床で確保できる時間は、人生のボーナスタイムだ。会社の業務や学校の課題のように、この時間に絶対やらなければいけないことなど何もない。だからこの時間はどんなことをしても失うものは何一つない。**つまり明け方は、自分があえてする必要のない、したかったのに無理だと思っていたことをただ実行に移してみる時間なのだ。**

いつもなら想像で終わったこと、本当に時間が余っているのでなければあえてしなかったようなことを明け方にやってみよう。日が昇るのと同時に近づいてくるチャンスが見えてくる。その幸運をただつかむだけでいい。

思い起こせば、私も明け方にさまざまなことに挑戦していた。思い通りに成功を収められなかったときもあったが、奇跡のような結果に至ったことも多い。

以前、ロースクールに通っていた頃、経歴を積むためのサマーインターン選びにひどく苦労したことがあった。切に希望した法律事務所がいくつかあったが、そこは私の成績と志望書では戦意喪失するほど競争率が高かった。学校のキャリア・アドバイザーも私がその法律事務所に志望することは時間の無駄だとし、合格する可能性のある他の事務所をリストアップしてくれた。

経歴を積める事務所がどこにもないのではと恐れた私は、結局キャリア・アドバイザーの助言に従っていくつかの法律事務所に、履歴書と自己紹介書を作成し提出した。だが、その中には本当に行きたい事務所は一つとしてなかった。もちろんそこでも学べることは多かっただろうが、私が高い関心を持っていた訴訟分野は、当時志望した事務所では扱われていなかった。

志望書を提出したのちも「ロースクール二年生が訴訟専門の法律事務所で働くのはたやすいことではない」というキャリア・アドバイザーの言葉が耳に残った。成績優秀で訴訟分野に経歴がある学生にだけ機会が与えられるというものだった。キャリア・アドバイザーは「現状では書類審査で落とされる可能性が高い」と私をなだめた。

結局、私は夢見てきたチャンスを自ら作ろうと心に決めた。午前も午後も授業に出て宿題をし、面接を受け、息つく間もない中、日常に支障がないギリギリのところで別途、当時の夢に挑戦する時間を捻出したのだ。そして二週間程度、毎朝、米国全域で私が一緒に働きたいと思う法律事務所の弁護士にメールで直接志望書を提出しはじめた。駄目元だった。当然、該当分野に合わせて履歴書と自己紹介書を修正しなければならない煩《わずら》わしさもあったが、この程度の投資の価値はあると思えた。実力不足なのに志望するのが内心恥ずかしくて、明け方にそっと志望書を書き送ったのかもしれない。それでもプラスアルファの時間にしていることなんだから、落ちても仕方ない、と考えるようにしていた。

そして一週間が経ち、驚かされた。なんと二箇所からメールが届いたのだ。一つは、書類審査に合格したから面接に来られる時間を教えてほしいという内容で、もう一つは担当弁護士直々の返信メールだった。私が志望した法律事務所を出て、新しい事務所を設立する計画があるので、そこで一緒に働いてみる気はないかという打診だった。不思議でならなかった。行動を起こしていなかったら決して来ることのないチャンスだった。無理だろうと思いながらも失うものはないと過度な期待はせずに挑戦してみたら、新たな門が開かれたというわけだ。

結論から言うと、両方の面接を受け、再度連絡を受けた弁護士と働く光栄に浴した。そうして私は最高の師匠と出会ったのだ。そこで良い経歴も積むことができた。民事訴訟から各種刑事事件まで、顧客ミーティングはもとより書類作成、証拠調査、裁判所参席など経験しないことはないくらい、あらゆる過程をマンツーマンで学ばせてもらった。ロースクールの学生が、サマーインターンでこのような実務を直接経験できるケースはめったにないため、いっそう懸命に学んだ。それが報われたのか、夏休みが終わってからも引き続きその弁護士と働かせてもらえることになり、この経験をもとにロースクール卒業後、連邦裁判所でまた違う経歴を重ねることができた。

あのとき一緒に仕事をした弁護士は、米国大統領に指名され、米国ジョージア州連邦検事長に就任した。あんなに立派な方と共に働けたということほど光栄なことはなく、今でも大きな誇りとなっている。

みんなが不可能だと言ったことだった。私でさえ、内心ある程度そう思っていた。でも「どっちみちプラスアルファの時間にすることだ」という考えから確たる見通しもなく試したことが、期待以上の実を結んだのだった。どうせうまくいかない、忙しいという理由であきらめていたら、今とは違う人生を生きていたかもしれない。

最近も私は明け方を利用することを思い出し、挑戦する時間を設けている。もちろん早起きし、新しいことに挑戦するのは骨が折れる。目的地が見えないときも多いだろう。毎回成功を収められるわけではない。**それでもボーナスタイムに失敗したからといって、メインゲームまで失敗するわけではない。**残りがどれくらいなのか考えることなく、一歩、二歩、黙々と歩いてふと振り返れば、自分でも気づかないうちに遠くまで来ていたという事実に気づけるに違いない。そしてこの事実がわかった瞬間、いっそう前進する力が湧いてくるだろう。これがまさに明け方起床の魔法《マジック》なのだ。

グローバルリーダーたちのモーニングルーティン 3

私は早寝早起きをする。特に朝はのんびりしたい。
新聞に目を通したり、コーヒーを飲んだり、
子供たちの登校前に一緒に朝食をとって楽しんでいる。
こんなゆとりある時間が私にはとても大切だ。

私は最初のミーティングを朝10時より前にセットするのだが、
特に頭を使う会議は朝食前に行う。
午後遅くの決定はできる限り避ける。
午後5時になっても「これは今日できそうもない」と思うようなら
そこでやめて、翌朝10時に再びトライする。

私は日に8時間は睡眠をとりたい人間だ。
睡眠を確保することでより良い判断ができ、
エネルギーをもらい、気分も良くなる。
考えてみてほしい。
上に立つ者は、少数の重要な決定を下すことになる。
毎日何千もの決定をするわけではない。
疲れたりイライラしたりすれば、判断の質は当然下がってしまうのだ。

——ジェフ・ベゾス　アマゾン創業者[4]

Chapter 4

急ぐのではなく早く始める

計画通りにいかない人生

かつてはいつも人より先んじてこそ成功できるものだと思っていた。夢を叶えるには物事すべてに適切な時期があり、その時期を逃せば目標を達成するのが難しくなると思い込んでいた。だから何であれ先回りして頑張って急ごうとする人生を送ってきた。

私は幼い頃海外で暮らし、高校生の頃、個人的な事情で再び韓国に戻ってきた。韓国と外国の教育システムが異なっていたせいで、中学校三年の課程を二度もやる羽目になった。それに納得がいかなかった私は検定考試（高校卒業と同等の学力を認定する試験）を受けた。同年代の友達より一年も遅れることなど許せなかったからだ。

　検定考試に合格し、二〇〇四年に米国の大学へ入学したのは、人より早い年齢だった。それなのに、何をそんなに先走りたかったのか、四年の課程を三年の間に終え、二〇〇七年に卒業した。大学をいち早く卒業し、ＬＳＡＴ《エルサット》（米国ロースクール入学試験）を受験後、ロースクール三年の課程を卒業すれば、二十五歳までには弁護士になれると人生計画を立てた。

　そしてその夢を叶えるため、準備を怠らなかった。目標も明確だったし、何をどうすればいいのかも間違いなくわかっていた。「何歳にはこれをしなければ」とする世の中の一般的基準よりもっと先に行きたかったし、実際にそう早く動いていた。言葉通り、生き急いでいた。

　しかしどういうわけか、計画は思い通りにいかなかった。あんなに頑張ったのに、ＬＳＡＴで目指した点数が思うように取れなかったのだ。

　どうしてやることなすこと全部うまくいかないの？

いくら努力しても計画通りにいかない状況を理解できず、いつも不安でいっぱいになっていたあの頃は今でも鮮明によみがえる。

　みんなに先駆けていれば当然成功すると信じていたのに、確固たる目標を立て綿密な計画に沿ってさえいればいいと信じていたのに、いったい何がいけなかったんだろう?

私が弁護士になるまでには、予想を超える数々の試練が待ち構えていた。数多《あまた》のハードルのせいで、七転び八起きも強いられた。自分で思っていたよりずっと長い時間をかけ、ずっと多くの関門をくぐらなければならなかったのだ。

一日を少し早く始めるだけで充分

私がもともと立てていた計画とは異なり、実際に米国のロースクールに入学したのは、いろいろな社会人生活と紆余曲折を経験した二十代後半だった。しかもLSATの得点が数回とも芳《かんば》しくなく、これ以上時間を無駄にしないよう、自分の得点に見合うロースクールに入学する以外なかった。本当に行きたかったコースを受講するためには、名門ロースクールに通わないといけなかったが、今よりさらに人生計画が遅れるのを私は恐れた。

今ロースクールに行くと、卒業後すぐに司法試験に合格し、就職できたとしても三十代に突入してしまうことになる。もう夢を叶えるチャンスは逃してしまったんだと確信した。多くの人からは「三十代に弁護士になるのは遅いし……結婚もしないと、でしょ?」あるいは「あきらめて今すぐ就職したら」と言われた。

しかし、心配は杞憂に終わった。実際ロースクールに通ってみると、二十代から七十代までさまざまな年齢の学生がいた。みんなそれぞれの人生を歩もうと自分なりの時期に合わせてロースクールに来ていた。初めて自分が遅すぎたわけではないと悟った。

それ以来、私は人より先を行こうと焦るのをやめた。思い起こせば、その代わりに今できることを朝早く始めようと決めたのだった。ロースクール入学は多少遅れたが、朝早い時間に一日を始めることには自信があった。そうやっていつも明け方を活用し、勉強内容を補ったり課題を終えていたところ、優秀な成績で一学年を終えることができた。

この成績を以《もっ》て私はあれほど望んでいた名門ロースクールへの編入に成功した。そして夢に描いた大学で望み通りの講義を聴きながら、弁護士になる準備を無事に終えることができた。後に詳しく話すことになるが、司法試験に一発合格とならずに再挑戦したときも、明け方起床に負うところが大きかった。

結局、他の人より人生を速く進めば、夢も早く叶えられるわけではなかった。それよりも、今すぐできること、与えられた一日を早く始めることが、私にとっては目標を達成できる真の近道だったのだ。

夢を叶えるのに、早いも遅いもない。すべての人に同様に、同時期に目標達成のタイミングが与えられているわけではないからだ。誰かには来週に門が開かれるかもしれないが、また他の誰かには何年か後にやっと門が開かれる。

生きていれば時には計画が変わり、方向転換を余儀なくされる瞬間も来る。それでも慌てる必要はない。新しい人生は、その時点から始まるのだから。

グローバルリーダーたちのモーニングルーティン 4

毎朝5時45分に起きてすぐに業務メールを確認する。
そして三人の息子を起こしに行く。
私の朝は、子供たちが登校するまでかなり慌ただしいため、
シンプルなルーティンで構成されている。

朝には45分程度の運動を欠かさない。
運動が終わったら、汗で濡れた服を脱ぎ捨てる。
するとその日は頭がすっきりし、一日中エネルギーがみなぎる。
水も多く飲むけれど、特に新鮮なココナッツウォーターがお気に入り。
それから、日焼け止めクリームを塗る。

化粧はできるだけ簡単に済ますようにしている。
夕食の約束がない日には、髪も半乾きのまま外出する。

ワーク・ライフ・バランスを保つことは難しい。
私はその方法がたった一つだとは思わない。
人それぞれ重要だと思う価値があり、それによって解決策も十人十色。
私の場合、明白な優先順位を三人の息子に置くことに決めた。

——トリー・バーチ　トリーバーチ創業者・CEO・デザイナー

PART 2

朝4時30分、新しい自分に出会う

Chapter 5

朝4時30分に起きる方法

5、4、3、2、1、起きよう！

朝4時30分。アラームが鳴る。

私には二つの選択肢がある。今すぐに起きて洗顔し、温かいお茶を飲みながら昨日の夜に自分自身と約束した一日を始めるか、あるいはアラームを無視し、このままぐっすり寝ることを優先して、以前と代わり映えのない日々に戻るか。今この瞬間、どんな決定を下すかによってこれからの人生は変わる。

多くの人はベッドに横たわったまま、自分自身ととても多くの会話をしている。「今起きたからって何が変わる？」「あと5分だけ寝ちゃおう！」「朝やろうとしていたことは、退勤してから夜やろう」などなど。あれこれ理由をつけ、自分を言いくるめては、またベッドに顔をうずめてしまう。

でも、私は違う。あれこれ考える猶予など自分に与えない。5、4、3、2、1、終了。**4時30分にアラーム音が聞こえた瞬間から5秒カウントダウンを始める。その5秒以内にアラームを切り、目を擦《こす》ってでも起きるのが私なりの流儀だ。**

朝早く起きることに関して、残念ながら特別な秘訣はない。ただ何も考えずに目を開け、体を起こす。このやり方がいちばん効果的で、たいしてつらくない。

実際に睡眠の専門家であるニール・ロビンソンによれば、疲れたからもう少し眠るといってアラームを切り、寝直して数分後に起きる場合、睡眠サイクルがまた始まったところを急に中断されることになり、かえって一日中疲労感を覚えることもあるという。

疲れがたまっていて起きられないときは、「あとで休めるよ」と自分にやさしく言い聞かせる。「通勤バスで眠れる」「今起きて後回しにしてきたことを片付けて、週末にゆっくり休めばいい」「朝に運動しておけば、夜に友達に会う時間を捻出できる」などと考えるのだ。

そんなふうに5秒だけ耐え抜けばいい。5、4、3、2、1、起きよう！

このように、短いながらもつらい戦いに勝利したら、そのまま洗面所に向かう。歯を磨いて洗顔をし、顔にスキンローションを塗る。台所に行って温かいお茶を準備してから部屋に戻り、そのときの気分に合う音楽を聴く。この一連の動作は全身を眠りから覚ます方法であり、自分自身に今日一日が始まったことを教える儀式だ。

アラームが鳴った時点から机の前に座るまで、このルーティンは毎朝自動的に行われる。時折、自分がこの行動をしたのかどうか定かではないことすらある。それほど無意識的に、体に染みついてしまっているのだ。

明け方起床を楽しめる人と断念する人の違い

朝4時30分に起きる日常をＳＮＳなどで共有すると、明け方起床に失敗したとがっかりする人たちを見かける。アラームを念入りに設定して前日の晩は早々にベッドに入ったのに、なんでこんなに起きるのがつらいんだろう？　何回か試した結果、明け方起床に成功はしたものの、午後になるとすごく眠くて三日坊主で終わるケースも多い。

もちろん最初から何の問題もなく、明け方に起きても眠気を感じず爽快な一日を送れる人もいる。朝型人間と夜型人間を決定する遺伝子があるという説もあるが、私が思うに、**明け方起床に成功する人と失敗する人のいちばん大きな違いは「何のために起きるのか」にある。**

明け方起床を容易に成功させる人は、朝早く起きることで手にした時間に夢を叶えられること、または追加で自由な時間、すなわちボーナスタイムを確保したことを大きなご褒美と考えている。そして日々少しずつ変化する自分自身を発見しながら達成感を味わい、今より明るい未来に期待する思いで、明け方起床を継続したいという情熱と意欲を高めている。

反面、明け方起床が苦手な人は、特に早起きすることにメリットを見出せないのだ。その時間にぐっすり寝るほうが、起きて何かを始めることよりもずっと大きな意味があると考えている（この考え方自体が問題だと言っているわけではない）。

毎日明け方起床を実践する私でも、アラームが鳴るあの短い時間、早く起きて一日を始めることと、甘い眠りを続けることの狭間で大いに悩む。**そんなときは、今起きなければ失うもの、起床すれば得られる成果や、起きるのがつらいこの瞬間をどうやったら取り返せるのかを考えればいい。**

例えば「今起きて原稿を書かなければ、退勤後に休む暇はない」「今起きて運動すれば、その分、夜にカロリーを気にせず思いっきりフライドチキンを食べられる」、そして「眠るのは通勤バスで埋め合わせできる」と思うようにするのだ。

また、早起きに成功した日の晩は、その日達成できた目標を確認する。明け方起床に慣れてからは、朝得られる時間自体がご褒美だと感じられるようになる。

自分だけの「時差」に適応する

私が多く受ける質問の一つが「本当に明け方に起きてるの？」だ。朝に鳴るアラーム音さえ聞こえない人には、とても信じられないのだ。

明け方起床について誤解がある。早く起きると一日中疲れを感じるという考えだ。

でも、冷静に考えてみてほしい。私たちを疲れさせるのは起床時間ではない。前日に遅く寝たり、過度にエネルギーを消耗し、そのせいで睡眠不足に陥り疲労を感じるのだ。

起床自体は何時であろうが誰でもつらい。アラームが鳴る瞬間に押し寄せる気だるさは全く自然な現象だ。でも、自分だけの「時差」を作ることで規則的な活動を維持できるようになれば、明け方起床はもう少し楽に実践できる。

まずは、夜を見直そう。私は特別な約束がなければ、普段は10時前に寝る。起床時間と就寝時間が一定になると、前日いくら忙しくても明け方に起きられるようになり、夜にはいくら寝まいと努力しても眠気に勝てなくなる。

また、先に紹介したように、朝4時30分に起きることだけでなく、アラームが鳴って5秒以内に起き、顔を洗い、温かいお茶を飲むまで、一日を始めるときのルーティンをスケジュールに組み込んでいる。

このように、体が記憶しているリズムが、まさに私だけの「時差」なのだ。

今はこの「時差」に完全に適応したため、私にとって朝4時30分に起きることは「早起き」ではない。むしろ世間一般的な時間に起きることが、「朝寝坊」となった。

単純に一日、二日早起きしただけでは、ルーティンは作れない。毎日似たような時間に一日を終え、また始める努力が必要だ。

これが規則的な生活の基本。この基本に慣れてしまえば、それが日常になる。

グローバルリーダーたちのモーニングルーティン 5

私は多方面で継続可能なルーティンを作ろうとしている。
一日のスケジュールも同じだ。

朝5時に起き、瞑想をする。それが終われば運動をする。
朝7時30分になるまでスマホを確認しない。
その後、たまった仕事をチェックし、歩いて出勤する。
5マイルほどの道のりでポッドキャストやオーディオブックを聴く。
すなわち、一日の最初の3時間は私自身への投資なのだ。
朝、私は心を静かに整える。
健康のために体を動かし、そこで何かしら習得する。

そうすれば、すでに大きな勝利を収めた状態で一日を始めたのも同然だから、その日に何が生じようと、一日がどれほどうまくいかなかったとしても、いつも達成感を味わえるのだ。

――ジャック・ドーシー　ツイッター共同創業者・元CEO[5]

Chapter 6

疲れの原因は朝ではなくあなたにある

明け方起床のポイントは就寝時間

引き続き、就寝時間について話をしよう。

「朝4時30分に起きたりしたら、睡眠不足になりそうだけど、健康は大丈夫なの？」とよく訊かれる。

そのたびに、お腹がはちきれそうなのに、もっと食べろと言われている気分になる。心配してくれる人たちは、私が何時に起きるかという点だけに関心を示し、何時に寝るのかは訊《たず》ねない。だが、**明け方起床のポイントは「何時に寝るのか」にある。**

韓国には夜遅くまで営業する店は多いが、朝早く開店する店は少ない。逆に、外国では午前5時から営業を始めるカフェやレストラン、ベーカリーが多く、明け方からジョギングする人々もよく利用している。それならば、この人たちはみんな睡眠不足に悩まされているのだろうか？　もちろん、そんなことはない。

実際、**健康に大きな影響を及ぼす要因は、起床時間ではなく総睡眠時間だ。**米国国立睡眠財団の研究によれば、成人の適度な睡眠時間は少なくとも7時間。ちなみに韓国では睡眠時間が7時間未満という人も多い。

朝寝坊することも問題だが、睡眠時間が惜しくて無理して短時間しか眠らないのもまた良くない。もちろん一日くらい睡眠時間を減らしたからといって、すぐさま大きな問題につながるわけではない。ただ、そんな日が続き睡眠不足がたまれば、日常生活はおろか消化不良、免疫力低下など健康にも悪影響を与えかねない。普段、眠らなくても大丈夫だと自信のある私でさえ、それは同じだ。

では、明け方起床を可能にするには、具体的にどれくらい睡眠時間を確保するのが妥当だろうか？

私は一日7時間程度の充分な睡眠を心がけている。くどいようだが、朝型ライフスタイルにしたいのなら、その前の晩から準備しないといけない。明け方起床は睡眠を減らすことではなく、睡眠サイクル自体を前にずらすことだからだ。

早起きする人は、たいてい早く寝る習慣を身につけている。

私もまた早ければ夜9時30分、遅くても10時30分にはベッドに入る。やけに疲れた日はもっと早く寝ることもあれば、仕事で遅くなった日には11時以降に寝るときもある。

そんなときは翌日少し遅めに起きたり、週末に普段より長く寝たりもする。試験勉強のときは疲れれば少しゆっくりめに起き、頻繁な海外出張で時差に適応できない場合でも、睡眠不足にならないように気をつける。状況や体調によって、起床と就寝の時間を調節し、充分な睡眠時間を確保している。

たまに朝早く起きると昼に眠くなって「自分は明け方起床に向いてないタイプらしい」と落胆する人がいる。体が明け方起床に完全に適応するまでは昼食後、眠気に襲われることもあるだろう。それは自然な現象なので気にすることはない。

そんなときはあえて我慢せず、夜の眠りを妨げない程度に仮眠をとることをお勧めする。私も海外出張に行くと夜しっかり寝られず、翌日の昼間に瞼《まぶた》が重くなる場合があるが、そんなときは午後3時より前に軽く20分程度昼寝をする。コンディションがずっと良くなり、時差に早く適応できるからだ。このようにうまく昼寝を利用すれば、ある瞬間から昼にも疲れや眠気を感じず朝型ライフスタイルに完全に切り替わる瞬間が訪れる。

単に朝早く起きたいという理由だけで、眠りを減らす行動は取らないほうがいい。無理に睡眠時間を削れば体をすぐに壊してしまうので、明け方起床を続けることがむしろ害になる。心身共に疲労を感じない程度の充分な睡眠パターンを維持することが重要だ。

充分な睡眠時間を確保できないなら

会社勤めをしているなら、会食や残業などで忙しく、どうしても早寝できない日もあるに違いない。遅く寝た日には、無理して普段通り明け方に起きようとせず、翌日は少し長めに寝ればいい。前述したように、明け方起床をたゆまず実行しようとするなら、無理は禁物だ。

しかし前の晩遅くに眠りにつき、決めていた時間より遅くまで寝てしまう日が多いようなら、一つだけ考えてもらいたいことがある。まさに「自分はなぜ早起きするのか」だ。

すなわち、やみくもにこの本を踏襲するのではなく、なぜ明け方に起きたいのか、明け方起床が自分の日常で本当に実践可能なのか、よく検討してほしい。

もし可能だと結論が出たにもかかわらず早起きに失敗し続けるなら、充分な睡眠時間を確保するために何をコントロールできるのか自問自答してみよう。疲労を感じないためには最低何時間睡眠が必要か、毎日似たような時間帯に寝るために省けるものはないかなど、爽快な朝を可能にするさまざまな要素を考えてみるといい。

私の場合、その日のコンディションに合わせて寝る時間を少しずつずらすことで調整する。特に何かをしたわけでなくても、疲れた日には夜9時から寝る準備をする。そうすれば翌朝4時30分に爽快に目覚められるのだ。反対に、昼間コーヒーをたくさん摂取したり、嬉しいことがあったりして眠れないときは、午後11時頃ベッドに入るようにする。

このように遅く眠りについて翌日起きるのがつらい場合は、もう少しだけ眠るか、「とりあえず今起きて、今晩はいつもより早く寝よう」と考えるようにしている。

事情によっては遅く寝る場合もあるが、心理的にいくら寝ようとしても眠れないこともある。経験上、こんなときは無理に寝ようとしない。「明日早起きするんだから早く寝ないと」というプレッシャーでむしろ眠れなくなってしまうからだ。**私たちはロボットではない。私たちが明け方起床を試すのは、明日だけ早起きするためではない。明後日、明々後日も早起きし、人より一日を早く始める習慣を身につけるためだ。**

だからいくら明け方起床の成功を左右するのが就寝時間だとしても、正確な睡眠時間を維持するために寝ようと無理しないでおこう。それぞれのコンディションに合う適切な睡眠時間を維持するため、日々前後1時間程度、サイクルを調節できる柔軟性を持とう。

ただし、睡眠サイクルにあまりにばらつきがあるのも問題だ。

ある日は午後9時に寝て午前4時に起き、ある日は午前3時に寝て午後2時に起きるというのは良くない。ハーバード大学が学生61名の睡眠習慣と成績の相関関係を研究した結果によると、睡眠サイクルが規則的な学生は、そうでない学生より成績が優秀だったという。私たちの体には午前と午後の生体リズムがあるが、睡眠時間が不規則だとこのリズムが本来の時間より3時間程度ゆっくりと作動し、よって授業に集中できなくなるからだ[6]。

理由もなく眠りにつけない日が続くなら、一日を終える自分だけのナイトルーティンを作ろう。私は夜にオイルバーナーやアロマキャンドルをつけて半身浴をしたり、フェイスパックをしたり、目の洗浄をしてから横になりくつろぐ。朝に温かいお茶を飲み、音楽を聴きながら一日が始まったことを自分自身に知らせるように、自分だけのナイトルーティンで今日一日が終わったという事実を認識させるのだ。

時にはオーディオブックやASMR動画をつけっぱなしにもする。早く寝なくてはという考えを忘れるため、何かを聴くことに集中するのだ。

夜は私にとってコンピューターやスマホを見ながら寝落ちする時間ではなく、あくまでも就寝の準備時間であり、私はこの時間をとても好んでいる。こうして一日を静かに終えるナイトルーティンを作れば、心が自然と落ち着き、難なく眠りに入ることができるからだ。

早起きできない日があっても気にしない

私たちは目標に向かう途中で少しばかり危機に晒《さら》されるだけなのに、それを「失敗」と評価してしまう。それはなぜだろう？

明け方起床の習慣化を成功させるためには、朝に起きて得られるご褒美を考えてみるだけでなく、決して寝坊を失敗と決めつけないことだ。

朝型人間は毎朝早起きしなければならないわけではない。疲れた日には睡眠をいつもより多くとるほうが、一日を無事に過ごすためにははるかに有益だ。朝寝坊を一日しただけで、情けないとか問題があるんだと自らを責めるようなら、早起きなど永遠に無理だ。

時々体調が優れず、いつもより長めに寝たとしても、その日を「朝寝坊した日」「早起きに失敗した日」ではなく「ぐっすり眠った日」と考えよう。

長く明け方起床をしてきた私に言わせれば、普段問題なく早起きできても、いつも元気溌剌《はつらつ》で勤勉なわけではない。一生懸命走ってきた分、疲れる日があるのは至極当然だ。

日によってはアラーム音も聞こえないほど疲れていることもあれば、朝にはなんともなかったのに午後に眠気が襲ってくるときもある。これは、朝いつ起きるかに関係なく誰もが経験することで、そんなときは朝寝坊したとはいえ、早起きに失敗したのではない。むしろ熟睡すれば心と体の負担が軽減され、翌日はいっそうすっきり起きられる。

普段ベッドに入る時間より30分早く寝て、普段起きる時間より30分早く起きてみることも明け方起床を成功させる良い方法だ。このルーティンで一週間程度行い、慣れてきたら翌週はさらに30分前倒ししてみる。これを継続して睡眠サイクルを調節し習慣化できれば、早起きは驚くほど簡単になる。

また、必ず同じ時間に起きることより、時には意識的に30分近く遅くアラームをセットしてみるのもお勧めだ。週末にはあえてアラームをかけず、ぐっすり寝るのもいい。早起きしなければというプレッシャーから解放されれば、ある瞬間からアラームなしでも明け方にふと眠りから覚め、時間を確認する自分に出会えるはずだ。

明け方起床は、人生をより良くする一つの方法にすぎない。うまく利用すれば効果が得られるが、このせいであまりにも大きなストレスを感じたり、日常に支障をきたすようであれば、自分に合ったリズムを探し直せばいい。

グローバルリーダーたちのモーニングルーティン
6

私は毎朝3時45分に起きる。

起き抜けの1時間は膨大なメールを念入りにチェックする。
それからジムに行き、1時間ほど運動する。
その後はカフェでコーヒーを飲みながら
メールをさらにチェックする。

このルーティンが何を意味するかというと、
自分の仕事を愛しているなら、それはもう業務とは思えず、一種の自然な行いに感じられるということだ。
私は毎朝、自分の幸運を実感している。

――ティム・クック　アップルCEO[7]

Chapter 7

明け方を意義あるものにしたいなら

常に特別な何かに取り組む必要はない

早起きをすることで、人からは私が特別な一日を送るのだろうと思われている。また、毎朝すごいことをしているのだろうと勘違いされている。

でも実際は、そんなことはない。日々同じ時間に目を開け、毎日同じようにお茶を飲んで出勤準備をし、一日を始動しているだけだ。私の日常はマニュアル通りに反復的で面白みなく平凡で、会う人はもちろん、その人たちとする会話もいつも似たり寄ったりだ。

でも、こうして繰り返される日々は退屈ではない。

日々変化がないという利点を活かし、少しずつ人生に変化をつけることができるから。

早起きしてできた自由な時間に、本を読んだり、文章を書いたり、登山に行ったり、ゴルフや水泳をしたり。はたまた動画や映画の編集をしてみたり、有名人にメールを送ったり。こうして規則的な日常のあちこちに特別なイベントをちりばめておけば、一日に変化が現れ、その中でドキドキすること、ワクワクすることに出会える。

明け方起床は、私に人生を変化させたいと思う意志を呼び起こした。

自分についてじっくり考えてみる時間が増えると、自然と自分に欠ける部分を埋めたいと思うようになる。だから、今できる些細なことは何なのかを探し、果敢に試してみる勇気も生まれる。そうしてダンスを習い、ミュージカルに挑戦し、ダイエットもしてみた。すると人生が数倍面白くなった。少しずつ何かを計画し、成功しようが失敗しようがそれに伴う結果を得てみると、また新たな自分を発見できるという好循環が生じた。どんなこともそれほど難しくなく、決心さえすれば成長できるということに気づいた。

考えてみれば、いつも特別な動機が何らかの行動を取らせるわけではない。自分を成長させることに特別なきっかけや理由はいらない。それは明け方起床にも言えることだ。朝早起きして何かすごいことを成さなければという強迫観念に囚われる必要はない。**明け方起床で得られる人生のボーナスタイムは好きなように使って構わないのだ。**大切なことは、あなたが疲れを押して早起きしたということで、その時間にどれほど偉大なことをするかではない。

明け方起床で生活習慣が変わってくれれば、特別なことなどしなくても、自ずと今とは別の人生を生きることになる。特に理由もなく実践した些細な行動なのに、ごく自然に、なりたい自分になれるという自信が芽生えるからだ。自分は思ったよりずっとまともな人間だったという事実を肌で感じられるはずだ。

そして、このように習慣が変わると、自分が追い求めてきた価値が変わってくるだけでなく、自分に与えられる機会も変わってくるのだ。あれほど探し回っていた夢や目標、動機や根気までもまた自ずとついてくる。

頭ではわかっていても、やはり突然手にした時間を、どう使っていいのかわからず途方に暮れてしまう……そんな人のために、私だけの明け方の過ごし方をいくつかご紹介しよう。

―明け方の過ごし方1―
先延ばしにしたことをやる

私は残業をするより、明け方から仕事に手をつけたいタイプだ。朝すでに仕事をしておけば、その日は余裕を持って過ごせるからだ。**残業するときは、仕事に追われて帰れないという嫌な気分にさせられるが、明け方だとあらかじめ仕事を片付けたことで爽やかな気分を味わえる。**

先ほど少し言及したが、私はロースクールに通いながら並行して法律事務所でパートタイムの仕事をしてきた。重要な裁判があったり、依頼人に会いに行く日だけ事務所に出勤し、他の仕事は週30時間程度の在宅勤務でこなした。もともと大学の休み期間中のみ働こうと思っていたのだが、最終学期を残し、最大限経歴を積んでおく必要があったため、簡単に仕事を辞められなかった。勉強より実務のほうがよっぽど面白かったのも事実だ。

仕事以外の残りの時間はすべてロースクールの勉強にあてた。授業に出て課題をこなし、毎週ミニテストの準備をし、ボランティア活動に人脈づくり、各種模擬裁判や模擬交渉まで我を忘れて動いた時期だった。今にして思えば、どうしたらあんなに多くのスケジュールをこなせたか不思議なくらいだ。どんな仕事であれ、適当にできない性格の上、手にしたチャンスを逃すのも嫌だった。

それはともかく、当時、日曜日の晩だったか、上司がメールを送ってきたことがある。月曜日退勤前までに急ぎで提出しないといけないリサーチの依頼だった。私は「明日は大切なグループミーティングもあり、授業もいちばん多い日なのに……」と一人ぶつくさ言いながらも月曜日最初の授業が始まるまでに仕事を仕上げて送った。

これを可能にしたのは、思えばまさに明け方起床だった。

朝4時30分に起きれば、最初の授業までおよそ4時間確保できるのだが、その2時間は関連判例と法律を読み込み、残りの2時間はその事件にどう適用できるか整理し、リサーチをまとめあげた。事件があまりにも複雑で、もっと時間が必要な場合には、いったん出来上がった部分までを事前に弁護士に送っておき、追加で質疑や要請があれば補充するスタイルで仕事を素早く処理した。

明け方に仕事をすることは、本来、できるなら私もしたくない。

しかし法曹界では期限をしっかり遵守することが、きわめて重要なのだ。一度約束を守れなければ、信用を落とすので、明け方時間を活用するしかない。当時のパートタイム勤務経験のおかげで、目下、企業弁護士として活動しながらも、急な業務は必ず出勤前にある程度終わらせておくのが習慣になっている。出勤してすぐに上司に報告したり、ミーティングの際、常に準備が整っている姿を見せたいからだ。

明け方には他の同僚たちが出勤していないため、メールの返信ではなく自分で終わらせられる簡単な仕事を処理する。出勤しないとできない仕事が十あるとすれば、出勤前に二〜三は終わらせておく算段だ。そうすれば、出勤後もある程度準備が整っているから、時間はもちろん心にも余裕が生まれ、仕事への自信も持てる。

仕事よりはむしろ睡眠を優先したいと思うかもしれない。でも会社員なら、仕事で受けるストレスは、避けて通って先延ばししても解決しないという事実に大半の人が共感してくれるはずだ。

仕事が一気に集中したり、うまく立ち回らなければというプレッシャーを受けるとき、明け方にあらかじめ仕事を開始すれば、大いに役立つ。会社ではなく、快適な空間で好きな音楽を聴きながら気楽に仕事をすれば、効率が上がるだけでなく、楽しみながらできるというメリットもある。

―明け方の過ごし方２―

体を動かしてみよう

「いつもエネルギーにあふれていますね」と会社でよく言われる。

その秘訣は、運動だ。

明け方に運動するのが特に好きな理由は、そうすれば仕事を終えたあとジムで時間を費やさなくて済むからだ。

人々は、明け方から運動すれば一日中疲れを感じると勘違いしている。

明け方に運動することで始まる一日は、読書で始める一日よりずっと爽快だ。ぐっすり寝た後だから、思いきり動いても疲れることはなく、むしろ体が軽くなり集中力も増す。

だから私にとって大切な日は決まって明け方の運動から始める。朝に運動することで一日をしっかり認識でき、実際に身体能力向上に役立つというさまざまな研究結果もある。私もまた学生時代、あえて試験日の明け方に運動をしたくらい、運動に大きな力をもらった。

明け方の運動はダイエット効果も絶大だ。せっかくその日一日を健康的にスタートしたのだから、その後もそれを維持しようと心に誓えるからだ。

実際に成人1854名の就寝および起床時間と食事摂取を研究したある調査結果によると、朝型人間は夜型人間と比べて午前10時以前にカロリーを4%多く摂取し、夜に糖分と脂肪などを過度に摂取しない傾向があるため、肥満になる危険性が低いという。[8]私も明け方の運動で、受験期に増えた10キロの体重を三ヶ月で落とし、その後四年間その体重を維持している。

何より運動後に感じられる充実感は、言葉では言い表せない。たった20分だけ、30分だけ、としながら、少しずつ運動時間を増やしていけば、つらくても最後の1分まで精一杯やり通す忍耐力を育てることができる。

もしも明け方に何をするかまだ決まっていないなら、積極的に運動をしてみるのはどうだろうか？

ただその場合、自分の健康状態と仕事を考慮し、続けられそうな運動を見つけることが肝心だ。特に運動が初めてなら、自分に合うものが何かを必ず把握してほしい。必ずしもジムに行くとか、高価な運動器具を使う必要はない。私は運動をしに行く時間がない場合、明け方に自宅でエアロバイクを漕いでいるが、特別な機能を設定せず、いつもおよそ40分ペダルを漕いでから10分程度ストレッチをし、それからシャワーを浴びる。他にもサイクリング、スカッシュ、水泳、ジョギング、ヨガなど、自分と相性が合うなら何でも構わない。

個人的には汗をたくさん流せる有酸素運動後、シャワーを浴びると気分爽快でいい。特に早朝の水泳は事情が許せばお勧めしたいくらいだ。

学生時代、私は水泳選手だったので、明け方によく練習したが、水泳は全身運動というだけあって、短時間で筋肉や心肺機能などを強化できる。また、水中で歩くだけでも関節に負担をかけず、立派な運動になる。

朝早起きして運動することで一日を始めてみよう。すぐに心と体の変化を感じられるはずだ。

―明け方の過ごし方3―

読書が人生を変える

以前は、読書がそれほど好きではなかった。

本を読むスピードが遅い上、司法試験準備の頃は課題で精査しないといけない事案が、社会人になったばかりの頃は目を通さなければいけない書類があまりにも多く、それ以上文字を目にしたくなかったのだ。

しかし、今は朝の読書を楽しんでいる。

今まで手にしなかった本があれば、明け方に読んでみよう。以前とは違う本に感じられるはずだ。前日会社帰りに読んでいた本を朝に読み直してみると、初めて読むかのように新たなメッセージが目に飛び込んでくる。

読書は一度も訪れたことのない世界を間接的に経験させてくれる。また、実際には出会えない人、自分の周辺には存在しない人々がどんな考えをし、どんな人生を送っているのか、どうやって成功したのか、垣間見《かいまみ》させてくれる。これらを通じて、私が辿《たど》ってきた道を振り返り、感謝したり反省したりできることに気づいた。

明け方の読書中に新たな目標を立てることもある。

例えば、何も考えずに映像編集関連の本を読んで無鉄砲にも動画編集を始めたところ、ＹｏｕＴｕｂｅｒとして活動するに至った。また『歩く人、ハ・ジョンウ』という本を読み、いつか蚕院洞《チャムウォンドン》から空港まで長い道のりを歩いてみようという新たな目標も立てた。『ふと思いついたアイディアで儲けられるか？』を読んで、いつも考えていただけの特許登録に挑戦してみたりもした。

もし朝の読書がつらいなら、軽いイラストエッセイを読んでみるのはどうだろう？

『ライアン、僕のそばにいて』のような本は、イラストを眺めるだけでも楽しいうえ、文章も多くないため読みやすく、それでいて読書をしたという満足感が得られる。

映画好きならば、映画の原作を読んでみるのもお勧めだ。映画をすでに観ていても、その話を本で読むと、また違う感動が得られる。私がいちばん好きな映画は『フォレスト・ガンプ』と、『幸せのちから』で、本でも何回か読んだが、読むたびにいつも感動を新たにする。

時々、古本屋で小学校の教科書を購入して読んだりもする。美術、音楽、歴史など、大人になって関心を持たなくなった分野の教科書を読み直すと、新たな知識を得られるからだ。小学生向けなので理解しやすく、意外に知らなかった内容が多くて驚く。

もし本を読むことが特に好きではないなら、温かいお茶を飲みながらオーディオブックを聴いてみてはどうだろう？　私は「オーディブル」という海外アプリを利用しているが、通常オーディオブックアプリには一ヶ月無料体験がある。これを使って好きな本があるか、声優の声は気に入るかチェックしてみてもいい。

明け方に読書をするときは、必ず最後のページまで読み終えなければと意気込まないほうがいい。明け方は自分に余裕をプレゼントする時間であって、何かをやり遂げるんだとプレッシャーをかける時間ではない。本を読了しなければというストレスを感じたら、有意義なリフレッシュタイムを過ごすことはできない。

反対に、リラックスして好きな音楽を聴きながら本を読めば、体がその時間を覚えていてくれるだろう。

明け方の読書は、気軽に新たな知見を得たり、自然に世の中の流れを理解したり、縛られた考えから解き放たれるくらいに楽しめるなら、それでもう充分だ。読書によって知らぬ間に成長した自分に気づけば、大いに達成感を得られることだろう。

―明け方の過ごし方4―

趣味を楽しむ

私は多趣味だ。学生時代は勉強に忙しく趣味を楽しめなかったせいか、弁護士になった後、さまざまな分野に関心が湧いた。その中でもＹｏｕＴｕｂｅチャンネルにアップする動画の編集には最も時間を割いた。それがもう数年になる。

初めてＹｏｕＴｕｂｅチャンネルを運営することになったのは、会社の昼休みが1時間から2時間に変更されたときだった。長くなった昼休みにできる有意義なことはないかと探していたときに、動画編集の本に出会ったのだ。

最初は昼休みに限って、本を頼りに動画編集の勉強をしていた。だがその後に「プレミアプロ」という編集プログラムを自分で購入し、明け方の2時間、昼休みの2時間、仕事後の1時間など、自由時間をかき集めて暇さえあれば練習するほど編集にすっかりのめり込んでしまった。

動画編集に関心を持つようになると、自分で撮影までしてみたくなった。また、動画を撮影しいざ編集をしてみると、自然とＹｏｕＴｕｂｅというプラットフォームにも関心が湧いた。当時は弁護士ＹｏｕＴｕｂｅｒがほとんどいなかったため、「ＹｏｕＴｕｂｅで米国弁護士関連情報を発信すれば、人々の役にも立てるのでは？」というアイディアが浮かんだのだ。そういう理由で、自分で撮影し編集した動画をＹｏｕＴｕｂｅにアップしはじめたのだった。

会社の仕事とＹｏｕＴｕｂｅチャンネルの運営を並行して行うのは、初めは容易ではなかった。取り立てて反応もなかったが、編集に自分なりの面白みを加え、カメラを購入してアングルの変更方法を学ぶくらい熱中した。明け方の時間に撮影したところ、仕事にも特に支障はなかったため、そのまま続けることにした。

もともとカメラには全く関心がなかったのだが、自分で扱ってみると、とても面白かった。動画制作が楽しく、ＹｏｕＴｕｂｅチャンネルにアップするコンテンツの構成にいっそう手を加え工夫するようになったが、そのうちの一つが普段の日常を見せられるVログだった。そうして明け方4時30分に起きる理由とその時間の活用法を正直に撮影しアップしてみると、大きな反響を呼んだ。多くの人々が私を真似して早起きしてみよう、というコメントをつけてくれた。自分の動画が誰かのきっかけになれるなど、最初はとても信じられなかった。

こんな経験をしてみて、私はコンテンツを企画、演出、編集することが好きなんだとわかった。そこに端を発して短編映画祭への出品も試みた。入賞には届かなかったが、新たな自分の姿を発見することで、再び人生の意味ある瞬間を経験でき、その点に感謝した。深く考えず編集を学んだだけだったが、それが人生にポジティブな変化を起こしたのだ。

最近はオンラインであれ、オフラインであれ、多様な経験ができる時代だ。**明け方に起き、何をすればいいか迷うなら、まずある程度自分の腕に覚えのある分野に挑戦してみよう。**仕事関連の趣味を始めてもいい。早く達成感を味わえるだけでなく、そうやって伸ばした能力を仕事にそっくり還元できるため、大いにやりがいを感じることができるだろう。


普段から好きな分野と関連したことをするのもお勧めだ。例えば、写真撮影に興味があるなら、写真を素敵に加工できる画像加工技術を学んでみるとか、読書好きなら、自分で本を出版してみるとかだ。日頃からファンだったアーティストのグッズを自分のためにいろいろ作ってみるのも悪くないし、空想好きなら、ブログやSNSに何か書いてアップすることも立派な趣味になり得る。実力不足で不出来であっても、好きな分野に足を踏み入れたということだけで心躍るはずだ。しかも人気が出たりすれば、追加収入まで望めるかもしれない。

もし特に好きなことがないなら、今まで興味を持たなかった、自分が疎《うと》い分野に挑戦してみてもいい。人は、自分が好きなことなら続けていけると思いやすい。だが、私は明け方に普段あえて興味のなかった分野にも関心を寄せてみる。

特に好きだとか、得意でなくても、自分が新たにできることを探してみるのだ。そうすれば、予想外のところで、また別の自分に出会えるからだ。

こうした小さな関心がきっかけで、大きな実を結ぶこともある。私が動画編集を始めたことでＹｏｕＴｕｂｅチャンネル運営、短編映画祭の参加、本の出版などのチャンスを得られたように、早起きして特別な目的もなく、ただストレスを解消したり、好奇心を満たしたり、一風変わった楽しみを見つけているだけで、思いがけずチャンスに巡り合うこともある。

何かをやり遂げないと、という具体的な目標がなくても構わない。明け方起床を実践すれば、その時間を有効に過ごそうという意欲が自ずと湧き出てくるはずだからだ。

—明け方の過ごし方5—

早朝の勉強が持つ驚きのパワー

私は弁護士であり、会社員だ。学生時代は正直、社会人になったら勉強はもうしないと思っていた。けれど、現実はそうではない。成長なしに生き残りが厳しい時代だ。就職したからもう勉強は終わりと思い込んでいるなら、大きな誤算だ。

勉強は人生の終わりなき課題だ。学びを中断し、自ら発展できなければ、会社でも人生でも、永遠に同じ場所に留《とど》まってしまう。いくら安定した職に就いていたとしても、実務に必要な勉強を怠ってはならない。**だからこれを機会に早起きし、自分の専門分野を深めてみるのはどうだろうか？**

私は弁護士になってからも、朝にいろいろな分野の勉強を積んでいる。もちろん仕事関連の勉強をするときもある。ニュースを見ながらふと似たような事例が米国にもあるか、韓国の法律と米国の法律にどのような違いが見られるのか気になれば、別途メモをしておき、明け方にその答えを探している。

仕事と無関係に、全く新たな分野を学ぶこともある。昨年には日本語学習誌を購読して毎朝勉強し、スペイン語と中国語を独学したこともある。CPR（心肺蘇生法）の資格やさまざまな民間資格取得の勉強をしたり、もともと興味のあった心理学に関する無料講義を受講したりもする。

最近では犯罪心理学に興味を持ちはじめ、明け方に暇を見つけて勉強をしはじめた。そのうちプロファイリングを深く理解したくなり、国内の大学院にも願書を出した。先に話したように、YouTubeチャンネル運営を始める頃には、動画編集の勉強をし、範囲を広げて画像加工技術や撮影技術も習得していた。YouTuberになってからは、動画と音楽の著作権はもちろん、悪質なコメントの法的対応および訴訟も学んだ。

学生時代、明け方時間を活用して勉強をしていなかったら、私は今、弁護士になれずにいただろう。私は見かけほど賢いタイプではないし、習得力も遅い。一言で言えば、完全に努力派だ。だから何をするにも人よりずっと多くの努力を強いられる。もちろん明け方に勉強したからといって、間違いなく成績がアップする保証はどこにもない（もしそうなら、私が全校トップになっていなければおかしい）。それでも明け方時間がなかったら、いろいろと成功していなかっただろうという事実は否めないのだ。
明け方の勉強のもう一つのメリットは、朝に勉強した内容を午後に復習できることだ。夜に勉強を始め、朝まで徹夜で勉強することもできるが、その場合、翌日になれば勉強したことを覚えていない確率が高い。でも明け方に起き、その日の学習内容を予習して、昼に授業を聞きながら自然に応用し、夜にまた復習すればより定着させやすい。

実際に朝型人間と夜型人間の頭脳機能を分析した研究結果によれば、朝型人間は頭脳領域の連結性が高く、集中力と反応速度、任務遂行力自体が高いという[9]。私もまた朝に集中力が高まるタイプだ。だからロースクールに通っていた頃、朝8時に授業に出ることが多かったが、早起きして授業直前に予習したり、前日の講義の内容を復習すれば、授業内容の理解がずっと深まったのを覚えている。

また、明け方の勉強は不安を解消してくれる。試験を目前に控えているときや、長時間かかる課題をこなさなければならないとき、勉強時間不足というプレッシャーに苦しめられる受験生は多い。こんなとき、早い時間から勉強を始めれば、準備する余裕があるという安心感が得られる。また、急いで勉強し終えなければという焦りが減り、ミスも少なくできる。さらに休む余裕ができれば、少し昼寝をしたり、体を動かす時間を確保することができるのだから、一石二鳥だ。

ここで私が言う勉強とは、必ずしも学問的な知識の習得だけを指すわけではない。新たな情報を探し習得する行為すべてが勉強なのだ。もちろん知人に訊けば、充分な情報を簡単に得られるが、気になったことを自分で探り当てれば、その知識がずっと価値あるものに感じられるだけでなく、それに関連する新たなことに挑戦するとき、おおむね成功の可否も予測できる。

どんな勉強であれ構わない。

大学院への進学であれ、資格の取得であれ、後回しにしていた勉強があれば、夜ではなく明け方に試してみよう。

もちろん各自の学習スタイルや生活パターンに合わせて勉強することは重要だが、普段勉強する時間が不足しているのなら、明け方起床ほど効果的な解決策はない。夜にはすでに疲れた状態だから「会社さえなければ勉強がもっとできるはずなのに……」といった考えに傾きがちな一方、明け方に何かを勉強することで一日を始めれば、学業あるいは会社の仕事と他の勉強を同時にやり遂げる自分を殊勝に思い、自信も高まるに違いない。

グローバルリーダーたちのモーニングルーティン

7

毎朝4時15分に起き、一日を始める。
明け方のルーティンが終わるまではスマホをいじらない。
電子機器を閉め出すのだ。
そして、何かを読む代わりに運動や思索をする。

私は文章を読むと、他人の考えにすぐ引き込まれる。
そうすると集中力が散漫になってしまう。
だから静かな朝、一人で物思いにふけることが好きなのだ。
そんな時間は、活力を満たしてくれるだけでなく、心を落ち着かせてくれる。
明け方の静けさが、私の一日を決める。

日々めまぐるしく変化する社会で、
とても一筋縄ではいかない会社経営をするにあたり、外部に気を取られるより、
自分自身の考えをまとめることに時間とエネルギーを割くのが得策だ。

――ボブ・アイガー　ウォルト・ディズニー・カンパニーCEO[10]

Chapter 8

朝型人間の週末の過ごし方

土曜日は、さらなるボーナスタイム

平日、朝4時30分に起きる私が、週末にはいつ起きるのか気になる人が多いらしい。土曜日の朝は何もなければ5時頃に目を覚ます。土曜日なんだからもっとゆっくり寝ないと、と思いつつ二度寝しようと試みるのだが、明け方起床に慣れてしまい、特にすることがなくても平日と似たような時間に目覚めてしまう。

私にとって土曜日は、さらなるボーナスタイムだ。平日には忙しくてやり残したことをする時間で、動画編集を完成させたり、読みかけのままだった本を最後まで読んだりする。平日に終えられなかった仕事や、とても重要でとりわけ気にかかる案件があれば、土曜日に仕上げることもある。

会社のある日には別途時間を割けない何かに新たに挑戦することもある。直近ではダンスとピラティスを習った。天気が良ければ山登りもするし、天気が悪ければインドアゴルフをする。特にしたいことがないときは泳ぎに行く。

平日には忙しくてゆっくり会えない友達に会うこともある。友達とは早朝映画を観に行ければ特に嬉しい。朝早く映画館に行くと割引料金で観られるだけでなく、人もまばらなので好きな席に座って、快適に映画を観ることができるからだ。

もちろん土曜日の午前に会うのが最初から好きな友達はそう多くはない。しかし、何度か会ってみると、友達も私との約束を気に入ってくれる。映画を観終わった後、早めの昼食をして別れても午後1時にもならないから、帰りがけに書店に寄ったり、一週間分の買い物をする。

夜には一週間を仕上げる心意気で机を整理する。家のあちこちを掃除し、たまった洗濯物を畳む。こうして土曜日に隅々、一週間分の埃を見えない部分まで取って磨くと気分がスッキリするだけでなく、日曜日に大掃除を残して気が重くなることもない。だからぐっすり寝られて一挙両得だ。

土曜日を充実させる習慣は、ロースクールに通った時分に身につけた。当時、私は健康そのものの二本の足を使わずに、高い保険料、ガソリン代、駐車料金などを払ってまで車を所有したいとは思わなかった。歩き回ったり、ウーバータクシーを利用することは、時間的にも金銭的にも、より節約になると判断していた。だから必要なときには主にジップカー（時間単位で自動車を借りられるカーシェアリング・サービス）を利用し、用事はまとめて終わらせた。15分ごとに追加料金が発生するのを防ぐために、混む時間帯を避けた結果、自然と週末の午前に行動するようになった。土曜日の朝はどこへ行ってもガラガラで渋滞もなく、待ち時間もない。こうして体に染みついた習慣は今でも続いている。

韓国に帰国し社会人生活をスタートしたときは、平日の労苦の埋め合わせに、週末はなにがなんでも友達に会おうとしていた。特に約束がない日はベッドに寝そべりスマホだけをいじっていた。

それなのに今は、何としてでも体を休めなければという考えよりも、平日できなかったことを終わらせたい一心で週末を充実させている。朝早く起きて平日に余裕ある一日を送っているため、週末に必ず自由時間を満喫するんだという考えはなくなり、土曜日にも新しいことを試すエネルギーがみなぎるからだ。

心から息つく日曜日

土曜日とは打って変わって、日曜日には休息だけをとる。日曜の朝には、眠りから早く覚めても普段はベッドにそのまま横になり、撮りためたテレビ番組を観たり、SNSをくまなく眺める。先週を振り返り、新たな週をどう過ごすのか計画する時間を持つこともある。

日曜日は自宅で美味しいものを丹念に作って食べるのがささやかな楽しみだ。トッポッキやホットックを作って食べることもあれば、トウモロコシとサツマイモをふかして食べたり、肉のパテを作ることもある。そしてしっかり休む。これ以外、特にすることはない。

日曜日には、あくまでも一週間を始めるエネルギーを充電することに集中する。そうすれば、いくら疲れる一週間を送っていたとしても、自然に心が落ち着く。土曜日までにしなければならないことすべてを終わらせ、悔いを残すことなく、したいことにも挑戦したからこそ得られる結果だ。

望む結果が得られなかったり、物事が順調に運ばないことがあっても、日曜日には心を少し落ち着かせる。明日からまた試せばいいだけなのだから。

グローバルリーダーたちのモーニングルーティン 8

朝起きたとき、明るい未来を予感できたら、その日は良い日。
そんな気がしないなら、良くない日。

6時間寝て朝7時に起きてから、真っ先にすることは
30分程度「批判的なメール」に返信すること。
そしてコーヒーを飲む。
これだけでも充分忙しいので、朝食はとる暇がない。
子供たちを学校に送り届けてから出勤し、
午前にはデザインとエンジニアリング関連の会議に出る。

一日のスケジュールを計画する際は、冷静に優先順位をつける。
ノイズの向こうのシグナルに集中せよ。
実際に状況を改善させないものに時間を浪費するな。

――イーロン・マスク　テスラおよびスペースX共同創業者・CEO[11]

PART

3

少しずつ成長する方法

Chapter

9

時間ではなく自分を管理する

時間は管理できない

規則的な生活を送る私を時間管理がうまいと人々は思い込んでいるが、それは買いかぶりすぎだ。実のところ、私は時間管理とは何なのかよくわからない。時間別に何をすべきなのかを考えると、頭が痛くなるほどだ。今したいことが、いつ、どういう形で終わるのか正確にわかりようがないから、こまめに所要時間を計算しながら計画を立てることなど、私には到底できない。

かつては、私も時間ごとに予定を仕分けして、その時間内に絶対終えるんだというやり方で、試してみたりもしたが、長続きはしなかった。「もう30分だけあれば」と思っても、意思とは関係なく、時間は無情に過ぎてしまうからだ。

だから時間は管理しない。
その代わりに自分自身を管理する。

毎日少しずつ、ゆっくりと、一歩一歩成長することに集中した。そしてそうやって目標に辿り着くと、そのたびに意味ある見返りが得られた。どんなことでもひたすら続ける習慣が身についただけではなく、また他の目標を設定する原動力が湧いたのだ。

私は時間を体系的に管理するために、朝4時30分起床を選択したわけではない。ところが早起きして一日を始めてみると、平凡に繰り返される日常にも、自ずと頭の中だけで描いていた夢に挑戦するエネルギーと余裕が生まれたのだ。また、残業をする羽目になったり、夜に約束があっても、明け方にあらかじめ計画されていたことを済ませてあるので、断念せざるを得ないことなど何もなく、いつでも自分だけのルーティンを守ることができた。

たまに、自己啓発に熱心な人々に対して「充分に事情が許せば、そういうことも可能なんだけどね」と言う人がいる。だが、必ずしも時間や経済的な余裕がなければ自分を管理できないわけではない。

明け方のように、普段重視していなかった隙間時間に、自分のための小さなことを少しずつこなしてみれば、日常を変えるささやかな面白さに気づけるのだ。そしてこんな隙間時間が他にもないのか探すために、どうしたら一日をもっと効率的に使えるのか、知らず知らずのうちに検討するようになる。

だから、もし特にすることもないのにいつも時間が足りなくて、一日が虚しく流れていくと感じているなら、このチャンスに、自分自身をまず管理してみるのはどうだろうか？

日々の習慣がチャンスを生む

ここまで明け方起床のメリットと、その活用法について話してきたとすれば、これからはもう少し個人的な話をしたいと思う。この章からは、私が普段から人付き合いやマインド、スランプなどをどう管理しているのか、つまり、自分自身をどうコントロールしているのかを紹介したい。

私は明け方にさまざまな目標を達成した。だが、そもそもたった一つの目標だけを達成するために早起きしてきたのではない。健康的な生活を維持し、与えられた時間を少しでも有意義に使うために、自主的に生活習慣を管理したにすぎない。そんな中であるときは水泳選手になり、米国二州で弁護士資格を所有する弁護士となり、安定した会社に就職し、多くの人々のモチベーションにつながるYouTuberになり、現在、この本を執筆する作家になれたのだ。

ここで終わりではない。本を執筆しながら、自分でプランナー(スケジュール帳)を制作するという目標が生まれ、デザインに着手し、その特許の登録方法まで調べている。こうした多様な活動を通し、さまざまな放送の渉外や広告問い合わせという、考えも及ばなかった門が開かれはじめたのだった。来年には自分自身が、またどれほど、どのように発展できるのか見当もつかないが、少しずつ自分を管理することで良い習慣が生まれ、この習慣がまた新たな機会を生み出しているということは、まぎれもない事実だ。

こうした自己発展を習慣づける際、その核にあるのは自分自身に集中することだ。友達より自分との約束を優先し、外部のことより内面の声に耳を傾けなければならない。二〜三週間くらいに期限を決めて自分自身に集中すれば、不思議にも以前は追いかけ回すのに必死だった状況が、向こうから勝手にやってきて教えてくれる。私にとって何が重要で、何が重要でないかを悟ることで現れる現象だ。二〜三週間という時間に言及したわけは、精神力を強化するのにかかる基本的な時間がそれくらいだからだ。

一方、決めておいた期間が過ぎても変化がなければ、焦る気持ちは抑え、自分の心が本当に望むことは何か、冷静に考えてみる必要がある。感情の起伏が激しいと良い習慣を生むことはできない。

例えば明け方に早起きして運動するより、仕事終わりに友達と会って遅くまでお酒を飲むほうがより幸せなら、温かいコーヒーを飲みながら本を広げたのに通知もないスマホ画面ばかり覗き込んで寂しいと思うのなら、本当に必要なものは自己啓発ではなく友情なのかもしれない。

人生を変えたいなら、いくら些細な目標でも一回で楽に達成できるという期待は捨てたほうがいい。

先に何回か述べたが、**幸運を期待せず、他の人々の話ではなく自分の声に耳を傾けながら、少しずつ自分を磨けば、今までとはまた違うチャンスが巡ってくる。**いつも自分とは関係ないと思い込んでいた機会が近づく瞬間、静かに変化してきたあなたがすべきことは、ただ、そのチャンスをつかむだけだ。

グローバルリーダーたちのモーニングルーティン 9

朝は6時20分に起き、カプチーノやお茶を飲んだ後、50分程度運動をする。
運動を終え、朝食前に20分ほど瞑想する。

朝の瞑想は一日を気持ちよく過ごすための
精神的な準備をする過程である。
どこにいようと、私は毎日扉を閉め、座って呼吸を整える。

アラーム音は私を慄《おのの》かせるだけ。
だから私は何の音もなく静かに一日を始める。

そして太陽が昇る風景や木々にかかった霧を眺めて、
より大きな存在の中に置かれた自分を感じようと意識を集める。
このようなルーティンを通し、ツイッターではなく、
本当の鳥のさえずり《ツイート》を聴けるという贅沢を楽しんでいる。

——オプラ・ウィンフリー　米国の人気司会者・俳優[12]

Chapter

10

自分磨きは一人で行うもの

寂しさは自分に集中せよというシグナル

私は小学校二年生のとき、ニュージーランドに住むことになった。

それまでは韓国の私立小学校に通い、望むものは何でも手に入れることができる恵まれた環境で育った。数学、美術、ピアノはもちろんのこと、水泳やアイススケートまで習わせてもらい、両親の関心を独り占めし、友達も大勢いた。すべてがあまりにも当然のことのように感じられたため、自分を「お姫様」と錯覚したまま幸せな日々を送っていた。

ところがニュージーランドに渡った後、状況は一変した。

ニュージーランドは人や文化、教育環境まで、韓国とはあらゆる面で大きく異なっていた。勉強も塾も宿題もない環境に、最初は戸惑ったが、自由で快適でもあった。

喜びも束の間、その快適な自由は外国人扱いの始まりだと気づいた。私は英語ができないという理由で、授業中におもちゃで遊んでいいという特別扱いを受けていたのだ。

すると同じクラスの子供たちが私を宇宙人扱いしはじめた。しかも私が聞き取れないのをいいことに、ためらいもなく英語で悪態をつきながらからかった。母が丹精込めて作って持たせてくれたキムチチャーハンのお弁当が臭いと唾をかけられたり、ゴミ箱にお弁当がひそかに捨てられていたこともあった。韓国では、みんながかわいいと言ってくれたお姫様みたいな服やキラキラ光る靴も、裸足が普通のニュージーランドでは、笑いのタネにされるだけだった。

私は事を荒立てなかった。距離をとって様子を見るだけだった。私だけじっと耐えていれば大丈夫だろうと思っていたのだ。自分にできることはないとも知った。悪口を言う子供たちが怖くて、先生に助けを求めれば、子供たちは私が先に殴ったからだと、悔しくも濡れ衣を着せた。そのせいで校長室に呼ばれたことも一度や二度ではなかった。
同じクラスの生徒たちだけでなく、全校生徒が私の英語の発音や見てくれがどうだとか、私が昼にどんな韓国料理を食べているのか、どんな服を着ているのか、一挙手一投足に関心を向けはじめた。事あるごとに顔色をうかがいながら怯《おび》えていたからか、仲間外れにされる度合いがだんだん増していった。

当時、私を奮い立たせてくれるものは何もなかった。なんで私は背が低く、白い肌に金髪と青い瞳じゃなくて、英語ができないのか、自分を責め続けた。そして目立たないように、他の子供たちの真似をしているうちに、次第にアイデンティティーを失っていった。

のちに転校し友達が一人二人とできても、簡単に心を許すことはできなかった。しかも両親が仕事で韓国とニュージーランドを往復する回数が増え、とうとう私は一人ホームステイで残ることになった。両親は、私がニュージーランドで英語を学び、暮らしに慣れて適応し、自立して生きていけるようにと願ってのことだった。私の人生が、常に愛情を受ける人生から、孤独と闘う人生に変わった瞬間だ。
こんな状況で、寂しさに打ち勝つ方法を見つけ出すことは、私の人生における最初のミッションだった。**私にとって孤独とは、鋭く尖った針のような存在だった。針で自分を刺せば、痛くて血が流れるが、破れた服をその針で縫えば、穴はふさがる。**そうやって孤独を、単に一種のコンディションが良くない状態だと思うようにして、自分を磨くことで虚しさを満たす方法を体得したのだった。このときから、何事においても一人で行動する習慣を身につけた。

いつだったかを境に、私は周囲から「いつも忙しい人」と認識されてきた。思春期のときも、大学に通うようになってからも、友達とは違って私はどんな集団にも属さなかった。かといって交友関係に問題があったわけではない。友達と共感し合うより、自分磨きをすることで、より大きく自分の成長を感じられただけだ。

一度たりとも寂しくなかったといえば嘘になるが、いくら孤独でも、ある程度時間が過ぎれば、寂しかったことを忘れるほど落ち着けた。むしろ、寂しさに振り回されるたびに、自分を省みて奮起した。孤独は私を苦しめるものではなく、自分に集中せよというシグナルになった。

もし今寂しいと感じるなら、日々寂しさにへたり込む瞬間がしきりにやってくるなら、それは自分自身に集中するチャンスなのかもしれない。そのシグナルに気づかな

いふりはやめよう。

一人で何かに打ち込むことを恐れないで

私がことさら好きなのはダンスだ。十代の頃、歌手になりたいとオーディションを何度も受け、練習生になり、初めてダンスを経験したらハマった。いろいろな事情で歌手の夢をあきらめたが、大学に入ってもダンスの魅力は尽きず、ダンススクールに通おうと決心した。当時はスクールに一人で通うことに、なぜあんなに怖気《おじけ》づいていたのだろうか。友達一人を説得して一緒にレッスンを受講した。

軽い気持ちでスクールに通っていた友達とは異なり、私は学べば学ぶほどダンスに熱が入った。授業30分前にはスクールに行って練習するほどだった。振り付けを覚え、カッコいい動画を撮りたくて、努力を惜しまなかった。逆に友達は、いざダンスを習ってみると性に合わなかったのか、すぐに興味をなくした。だから、レッスンが終わってもスクールに残って練習する私に、美味しいご飯をおごるから早く上がってと誘ってきたりもした。

私にはこんな状況がとても気まずかった。誘いを断れば、友達をがっかりさせてしまうんじゃないかと心苦しかった。だからといって、ダンスの練習の代わりに、美味しい夕飯の誘いに乗ってしまえば、私自身との約束を破ったんだと自分を責めた。こんな日が続き、結局ダンスへの興味が薄れてしまった。

一人で何かに打ち込むことに臆病な人たちがいる。過去の私も同じだった。勉強するときも、いつも誰かと一緒にするのが好きだった。一人で塾に通ったり、ジムに行ったりするのには慣れるまで長いことかかった。何か学びたくても、いざ一人で塾に行こうとしても、何だか気恥ずかしくて先延ばしにしたこともある。私より実力が秀でた人に助けてもらえれば、もっと良い結果が得られると信じ、そのような人と一緒に始めるタイミングを待っていたらチャンスを逃してしまった場合も少なからずあった。

でも何回かの試行錯誤の結果、自己啓発は一人で行うものだという結論が不変の真理として導き出された。面白そうで何かを習ってみたくなる人と、真面目に自分を成長させたい人と、同等の取り組みはできない。もし暇つぶしに新しいことを始めてみたいなら、友達と一緒に始めるのもある程度心強いだろうが、目標に向かって真剣に挑戦したいのなら、一人で始めるべきだ。そうすることで、他人の意見に振り回されることなく、自分自身に集中し、どの部分をもっと成長させるべきか、探し当てることができるのだ。

人々は、もともと自分が踏み入れたことのない道に対して否定的な反応を示す。例えば、誰かにアドバイスを求めると考えてみよう。今、あなたが夢見ることを成し遂げたことがない人々は「その点数では不可能だ」「すごく難しいから、時間の浪費はしないほうがいい」「現実的に考えてみて」と言うだろう。反対に、すでにその目標を達成している人々は「難しいけど、あなたならできる」「思いきって始めてみて」「やめてしまう前に、まず少し休んでみて」と背中を押してくれるはずだ。

私たちは、夢や目標を叶えたいなら、他の人々と同じ方法と速度を維持すべきだと考えがちだ。合格体験記や成功談を探し出して、その主人公と自分を比較したりもする。そして少しでも自分がその人たちと違ったり、自分に彼らより劣る部分が見つかると、自信を喪失する。彼らのようにやり遂げられる環境にないから、彼らより試験の点数が低いから、彼らほど時間がないから、彼らより始めた時期が遅いからといった理由で自分が成功する確率を低く見積もってしまうのだ。

私も目標設定をするたび、これでもかというほど自信を失うしかない状況に置かれていた。周囲の人々の目には非現実的に映る目標と夢を計画してきたせいでもある。「あまり期待しすぎないほうがいいよ」「目標を少し現実的に変えてみたら？」という言葉を嫌というほど聞かされた。

外国で競泳をしていたときも、大会で一等を取りたいと思う自分に、水泳大会でメダルをとったこともない周囲の人々は「あなたは相手の選手たちより背が低いし体格的に不利」と言った。また、韓国で学校に一年しか通ったことがない私が検定考試を受けると言ったとき、検定考試を受けたこともない周囲の人々に「あれが楽勝の試験だとでも思ってるの？」「韓国語もろくにできないのに、何を言い出すかと思えば」と呆《あき》れられた。

行きたいロースクールに入学するためLSATの勉強をしたときもそうだった。何度となく試験を受けたが、望む点数が取れなかった私に、弁護士でない人々は「何も弁護士じゃなくても、生きていける」と慰めの言葉をかけた。あるいは、私の目標がとてつもなく高いと言い、目線を低くして現実的に考えるよう諭した。

司法試験の合格後にも、似たような話をよく聞かされた。先輩や教授たちに「経歴もないのに、大企業の弁護士になれると思ってるの？」「大企業はまず他の会社で経歴を積んでからやっと入れるものよ。今は無理でしょ」といった具合の話をさんざん聞かされた。ＹｏｕＴｕｂｅチャンネルを運営してみると言ったときも、私を応援してくれる人はほとんどいなかった。みんな「動画編集の仕事は簡単じゃないだろう」と口をそろえて言った。しかも「時間の無駄なのに、なんでそんなことするの？」と言う人たちさえいた。

ところが驚くことに、みんなにたびたび「難しい」「大変」「時間の無駄」「無理」と言われたチャレンジが、今の私を誕生させた。他の人々の話に惑わされず、とりあえず一人で始めてみたから出せた成果だった。

水泳大会で一位を取るため、ひたすら努力していたら、私の欠点である背の低さと華奢な体格で、背が高く立派な体格の選手より、はるかに速度を上げられるとわかった。検定考試もまた、韓国で一年しか学校に通っておらず韓国語に不慣れだったが、いざ試験を受けてみると、英語で多く得点できたおかげで平均点が高くなり、難なく合格できた。

また、志望するロースクールに行こうと長い間試験勉強をしながら、何度となく挫折を経験した。それでも、たとえ友達と同じ方法でなかったとしても、努力を怠らず、行きたかった学校に編入でき、良い教育を受けられた。経歴不足で大企業に就職するのは難しいだろうとの先輩や教授らの言葉とは裏腹に、いったん志望して面接を受けてみた結果、現在、ある大企業で企業内弁護士として働いている。動画編集は難しいとの話だったが、試してみるとすぐに習得できた。しかも今はチャンネル登録数だけでも約20万人に達し、ＹｏｕＴｕｂｅチャンネルを運営しながら日々、新しい機会を得られている。

もちろん人々がいつも否定的な話だけをするのではない。本当に有益で、正確な答えを教えてくれる知人たちもいる。彼らの意見に耳を傾けるなということではない。だが、周囲の人々がなんと言おうと、彼らの言葉が事実であろうとなかろうと、自分が何をしたいのかを忘れなければ、誰も経験できなかった特別な経歴を積むことができるということだ。

自分磨きをするときは「遠くに行きたいなら誰かと一緒に行け」という言葉はあてはまらない。本当に成長したければ、外部の雑音は遮断し、自分の中の自己啓発モードスイッチをオンしないといけない。

すべての人には適切な学習方法とペースがある。そして、すごく速くも遅くもない自分だけの速度に合わせて実践していけば、スランプに陥ることもなく着実に自分を成長させていくことができる。

最高のライバルは自分自身

私の生活には運動が欠かせない。ある意味、人生で勉強よりも運動に時間を注いできたと言っても過言ではない。運動にもいろいろあるが、いちばん好きなのが水泳で、ニュージーランド生活にある程度順応したあたりで、当時住んでいた市の運営する水泳チームに参加した。中学生からは水泳部で活動した。

少し言及したが、さかのぼってみると、私の朝型ライフスタイルの始まりは水泳のおかげだった。小学生の頃から所属していた水泳チームが、試合のシーズンには必ず明け方練習をしたからだ。明け方練習がない日には、朝6時30分から学校で水球の訓練があったため（ニュージーランドでは、早朝の活動はもともと活発に行われている）私の一日は、いつも朝5時に始めるしかなかった。

当時私と一緒に競泳をしていた子たちはとても背が高かった。どうやったらあんなに早く成長するのか、何ヶ月かおきに試合で会うたびに背が伸びていた。パワーも雲泥の差で、あの子たちが水中で一回水をかく間に、私は二度かかないと追いつかなかった。このため、いくら頑張っても予選負けだった。

こんな人種間の身体的差異は当たり前かもしれないが、当時、私は大会後には、いつだって世界の終わりかのように激しく泣きじゃくった。海外に住み、言葉のせいですでに同年代より遅れをとっていると思っていた上、身体的にも押されているという事実は、あまりにもつらかったからだ。チームコーチさえ私には過度な期待は寄せなかったので、チーム戦で私はいつでもベンチを温めていた。

負けん気が芽生えた。

「誰も私に期待してない」「彼らにとって、私はただ英語ができず、体力不足の外国人にすぎないんだ」という考えが、私をさらに突き動かし、なにがなんでも勝ってやる！という気持ちが高まった。

だから歯を食いしばって練習に練習を重ねた。登校前の2時間、放課後夕飯前の2時間を練習に集中した。週末にはハードなウェイトトレーニングで筋力アップを図った。息継ぎに顔を上げてまた水に入る時間まで縮めるため、息も堪《こら》えた。そんな練習を重ねていたら、急に目眩《めまい》がしてプールの外に嘔吐したことも幾度となくあった。涙も枯れるほどだった。それでも止《とど》まりはしなかった。他の選手たちが有利な身体条件で繰り出すスピードに勝るために私ができることは練習と努力以外にはなかった。

水泳大会がまた始まった。去年会った対戦選手たちは、身長がもっと伸びていた。私は相変わらず彼らよりかなり小さかった。二百メートル自由形のレースで、スタートのベルが鳴り響き、思いっきりジャンプし冷たい水中に入ったその瞬間は、今でも鮮明によみがえる。今度こそは頑張って泳ぎ抜きたいと思った。


泳ぐときは、前進するのに必死だと思われがちだが、実は隣のレーンの選手がどう泳いでいるのか全部見て取れる。足をどれほど強く蹴り、どれだけ前に進んでいるのか、どの程度疲れているのか、丸見えだ。今回も他の選手たちが泳ぐのを見て、去年と変わった点は何もないように思えた。相変わらず他の選手より一回多くストロークし、一回少なく息継ぎをしないといけなかった。そうして私は隣のレーンの選手を意識しながらスピードを合わせていった。

突然、隣の選手の速度が落ちる感じがした。その子につられて私もまたスピードが徐々に落ちていた。それでも息継ぎで顔を上げるたびに、コーチとチームメンバーが声を張り上げて応援してくれている姿が目に入ってきた。いつもなら私に関心すら示さなかった彼らの熱狂的な応援に多少戸惑い「どういう風の吹き回し？」と思ったが、すぐに考えるのをやめ、息継ぎもせず前に突き進んだ。隣のレーンの選手たちが視野から消えていった。

誰も見えず怖くなった。どれだけスピードを上げないといけないのか、感覚がつかめなかった。目をぎゅっとつむって、最後の十メートルほどを全力で水をかき分けた。ゴール地点がどこなのかも見えなかった。普段とは違うスピードで前に進んでいた。競争相手が消え、体がふわりと浮く感じがした。

タン！　という音と共に腕でゴールパッドをタッチして目を開き、水から顔を出した。競技の電光掲示板に自分の名前が出ているのと同時に、歓声が湧いた。一位だった。一位で本戦進出を決めたのだ。

予選と全く同じ泳ぎで、本戦でも一位を勝ち取った。そうして自分の限界を破った後、私は本戦という本戦に進出したのはもちろん、ニュージーランドの全国青少年水泳選手権大会で、常に一位、二位を争う選手にまでなった。息絶え絶えの瞬間にも止まることを知らず、自らの限界点を高める方法を習得すると、自己ベストを破り続けることができた。激しく厳しい練習の見返りだった。

あれから、もう自分を誰かと重ね合わせることはしなくなった。

それまでは、いつも隣の選手についていくことに集中したため、その選手が力を落としスピードが遅くなれば、私も同じように遅くなった。自分の限界を超えたことなどなかったため、自分でどれほど力の限り進めるのかわかるはずもなかった。誰も、ましてや自分さえも知らなかったけれど、私は誰よりもずっと強く、速いんだという事実を改めて認識したのだ。そして今の歩む道がつらく困難なほど、大きな見返りをもらえるんだと希望を抱けるようになった。

「隣の人は見ないで、私が進む方向だけ目指して突き進もう」

つらいとき、自分を他の人とうっかり比較してしまうたびに唱える呪文だ。

最高のライバルは、まさに自分自身。他の誰かではなく、自分が進む道だけを見つめていこう。

グローバルリーダーたちのモーニングルーティン

10

私は常に早起きだ。
ポジティブ思考や健康管理と同様、早起きは習慣となっている。
世界のどこにいようと朝5時に起きる努力をする。
出勤前に運動をし、家族との時間を大切にするためだ。

世の中のあちこちでログインされる前の夜明けは、
私にとって、たまっていたニュースに追いつき
メールに返信するのにちょうど良い時間帯だ。
この時間が、私を新しく体系的に
一日を始められるようにしてくれる。

人生はリハーサルではない。
だから、日々ベストを尽くして生きるべきだ。
早起き自体は、一生懸命働いたから成功するというシグナルではない。
その時間に何であれできるように、
自分の中から潜在能力を引き出すことが重要だ。

——リチャード・ブランソン　ヴァージングループ創業者[13]

Chapter

11

心に余裕を生むマインドミニマリズム

心の余裕の作り方

会社で「残高《チャンコ》」という単語を使った文字遊びのイベントが開かれたことがあった。私が一等を取った内容はこうだった。

残《チャン》：細かいことは
高《コ》：気にするな

単にやり過ごせばいいものを事細かに検討していたら、あるいは自分の仕事でもないのにいちいち全部確認して修正・変更して、結局残業になったということはないだろうか？　会社の仕事以外でも、本当になんてことないのに、なんとなく見過ごせないばかりに必要以上に多くの時間を費やした経験は誰にでも一回くらいあるのではないだろうか？

こうして私たちは細かいことにあまりにも多くのエネルギーと時間を浪費している。実際に時間やエネルギーが不足するからではなく、心に余裕がなくなり、いつも忙しくなる。こんなときは「マインドミニマリズム」が必要だ。

ミニマリズムは不必要な物を捨てる主義としてよく知られている。空間を整理するように、心にもミニマリズムを適用できる。時間を浪費する人間関係はもちろん、心の傷、頭の中のもやもやや、重くのしかかる悩み事まですべて遠ざけ、手放して心の余裕を取り戻せば、大きな助けとなる。

まずは、スマホの不必要なアプリを削除しよう。ＳＮＳと各種メッセンジャーも一つずつ整理してみよう。このように、普段から時間をうんと浪費するアプリを削除するだけでもごちゃごちゃした心が少しずつ整う。

自分自身に集中するため、ＳＮＳアプリはもとよりカカオトーク（韓国発のメッセンジャーアプリ）も思いきって削除したことがある。最初はグループトークはどうしよう、私に急に連絡を取りたい人がいたら、重要な知らせを逃したらどうしよう、と心配ばかりだった。**おそらくミニマリズムを始めるときは、誰もが一度くらいは通る悩みだろう。**本棚を処分すれば、本はどこにしまおう？　これはあとで必要になるかも？

でも、取り越し苦労だった。

当初は大事な知らせを見逃さないかと心配でスマホを確認し続けていたのだが、いくら覗き込んでも通知は来ないという事実に慣れると、もう何も気にならなくなった。私がどうしても知るべきことがあるなら、相手はどんな手を使ってでも連絡してくるだろうと気づいたからだ。

こうして一つずつ手放すことに慣れ、私の一日は変わっていった。不必要な会話や私を揺さぶる誘惑を全部払拭《ふっしょく》したため、人生に余裕が生まれた。そして心に余裕ができ、当分解決できないと思われた悩みまで全部取り出して整理できたのだった。

人間関係のせいでマインドミニマリズムを実践できない人々は多い。他の人にどう思われているのか、逆に自分は他の人をどう思っているのか、関心を持ちすぎるのだ。だが、マインドミニマリズムを成功させようとするなら、人付き合いにも間違いなく整理が必要だ。

悩み多き人間関係は、心に傷を残すだけだ。自分は周囲の人々を満足させたり、彼らの意図を深読みすることに神経をすり減らし、時間を浪費していると思うなら、思いきってその関係を整理してみるのはどうだろうか？　意味のない心理戦や馬が合わなかった人たちと嫌々続けてきた縁を断ち切れば、くさくさしていた心が一気に軽くなるはずだ。

人々との関係をすべて断つのとは違う。人々に対して冷たく、不親切に接するのでもない。そうしなくてもミニマリズムは充分に可能だ。不必要な会話やエネルギー消費を抑えればいい。例えば、不平不満を並べ立てる人や、わざと時間を奪う心配事を作り出す人とは親しく付き合う必要はない。否定的な言葉が否定的なエネルギーを生むからだ。こんな人とは必要に迫られた会話だけ軽く交わしてやり過ごそう。

おせっかいを焼くのもほどほどにするのが賢明だ。もちろん心から相手が心配になり、関心を寄せてアドバイスをすることもあるだろうが、あえて自分のエネルギーと感情を浪費してまで、人のことに神経を使わないほうが、精神衛生上いい。

また、相手を怒らせてしまうかもと気にして面と向かって言えない話は、隠れて言うのもやめよう。あなたが隠れてある人に関する不満を吐き出せば、聞く人は、初めは表面的には共感してくれるとしても、心の中では「この人も他人の悪口を言うんだからおんなじ」と思っているに違いない。一瞬せいせいするかもしれないが、そのときだけだ。何も解決されはしない。悪口を言うだけ、時間の浪費なのだ。

マインドミニマリズムで内面が健康的になると、自然に心が健康な人々に囲まれるようになった。私を傷つけたり、苦しめる人々と距離を置くと、私を尊重してくれる人々だけが残り、似たような価値観を持つ人々と、新たに良い絆を結んでいることに気づいた。すると驚くことに人間関係ではなく、他の分野でも成果が現れはじめた。時間とエネルギーの無駄な消費が自分にとってどれほどマイナスの影響を及ぼしていたのか、今更ながらよくわかった。

「キム先生、今日のお昼はお約束ありますか?」

「はい! 今日は一緒にお食事できないんです。明日なら大丈夫なんですが……」

「あ、どなたかと先約がおありなんですか？」

「ええ、自分との約束があるんです！」


私が会社で同僚たちと時々する会話だ。

同僚たちは私のこんな受け答えに最初は驚いていたが、最近ではよく理解してくれる。このように率先して自分の時間を優先させれば、他の人々も私の時間を尊重してくれるようになる。

夜に語学の勉強をするつもりだったのに、話があるから一緒に食事しようと友達に急に誘われたり、定時に上がってそのままヨガのクラスに行くつもりなのに、一緒に出られるから少しだけ待ってと同僚に頼まれたら、どうすればいいのだろうか？

週末に一人カフェでくつろいで本を読みたいのに、偶然会った友人に、話をしたいから同席していいかと訊かれたり、昼休みにジムで運動しようとしていたのに、職場の上司がランチに誘ってきたら？

かつては私も「今日は約束があって。明日はどう？」と一言口に出すのがとても難しかった。

「今急ぎの用事があるんだけど、明日話しても大丈夫？」と答えるのが、どうしてあんなに心苦しかったのか。「今日は早く帰宅しないといけなくて」と言うのが、なんであんなに決まりが悪かったのか。「係長！　今日は参加できそうもありません！　次回、必ずご一緒させてください」と言うのが、どうしてあんなに憚《はばか》られたのか。自分でも理解できなかった。

こんな些細だけれど、回避できない社会生活の居心地の悪さのせいで、なおさら明け方起床に惹かれたのかもしれない。しかし明け方の自分磨きイコール人間関係の問題解決とはいかない。明け方起床を実践すれば、会食はもちろん、夜の約束も控えるようになるからだ。

人付き合いを続けていく上で、過度なストレスを感じることなく人からの誘いを断るという慣れない経験も、新たな生活様式に適応していく過程の一部だと捉えればいい。

自分のスケジュールを他人との付き合いより優先させることはおかしなことではない。

もし自分が誰かに「今日は用事があって、会えなさそう」と言われたと考えてみよう。気分を害す？　多分そんなことはない。

また反対に、相手の気持ちを汲んで、私がスケジュールをキャンセルし一緒に時間を過ごすとしても、相手は私の予定を知らないから、別に感謝したり、申し訳ないと感じることもないはずだ。

自分のスケジュールを優先する自分勝手な人だとされるなら、そう思わせておけばいい。私にも時々「付き合いが悪いな」「休み休みやれば？　今日はお酒でも飲もうよ」と茶々を入れる人たちがいる。そして彼らを無視したところで何も起こりようもなかった。そもそもみんなが私の目標と計画を理解し、認めてくれるだろうなどと期待していないからだ。

何のために相手の誘いを断るのか、正直に話せばむしろ人間関係はもっと良くなるかもしれない。

一緒にランチをする同僚に「運動を始めたんです。当分、お昼は一人でさっと食べて運動にあてようと思ってます」と言ったところ、自分も刺激を受けたという話を聞いた。

毎日のように会っていた友達に「本を執筆してみたいと思ってる。意外と時間がかかるみたいだから、しばらく連絡しなくても許してくれるかな？」と切り出したら「出版されたら、絶対買う！　何かできることがあったらいつでも言って！」と言ってくれた。

夜の集まりに付き合いが悪くなった私に残念がる友達には「私、明け方に起きて自分だけの時間を持つことにしたんだ。私にとってすごく必要な時間だから、しばらくは早く帰って早寝しようと思う」と正直に説明したところ、嫌な顔一つせずに「会えるようになったら連絡して」と言ってくれた。

一時《いっとき》だけの楽しみを自分磨きと引き換えにしてはいけない。

他人の説得に簡単に丸め込まれる人生は、結果的に安定しない。私も最初は他人の誘いを断らないことが他人への配慮だと思い込んでいた。でも突き詰めて考えると、そうではなかった。

自分より他人を優先させ、それによって抱くなんともいえないやるせなさを配慮と称して自分をなだめる言い訳にしているだけだ。

グローバルリーダーたちのモーニングルーティン 11

私は朝5時頃に起床する。
起きて1時間から2時間程度、数多くの文章を読む。
日刊紙から経済誌、アナリストのレポートなど、
人々が何を語っているのかくまなく目を通す。
しかし、オンラインでは読まない。
オンラインでは、自分が関心を持っているものだけを読んでしまうからだ。
休暇中には読書もする。

7時になると45分程度の運動をする。
主にエアロビクスや軽い筋力トレーニング、ストレッチをする。

その後、一杯のコーヒーを飲む。
朝にはあまりお腹が空かないので、朝食はとらない。

誰もがワーク・ライフ・バランスを維持できる。
自分の心、体、健康、家族、人間関係をうまくコントロールするのは、
他の誰かではなく、まさに自分にしかできないことだ。

——ジェイミー・ダイモン　ＪＰモルガン・チェースＣＥＯ兼会長

Chapter 12

ここは目的地ではなく通過点

私がしたいことは何？

冒頭でも触れたが、韓国に戻り、私は最初、理由なきもどかしさを感じた。心から切に望んだ米国の司法試験に合格し、韓国に戻って安定した大企業に就職できたのに、不思議と心は空虚で、時に自分が哀れだとまで感じたのだ。

間違いなく夢を叶えたのに、心のどこかが不安だった。社会生活にもうまくなじめずにいた。そのせいか、会社をクビになるとか、試験に落ちるという悪夢を見ることも時々あった。今となれば笑い話だが、寝ているときにうなされて幽霊を見たこともある。その幽霊に「そこの幽霊さん！　私、今ちゃんとできてる？」と訊く始末だった。もちろん幽霊は何も答えてくれず、私は息の根を止められかけたが。

偶然明け方4時30分に起きた日、自分について考えを巡らせてみた。私は弁護士という夢を叶えたが、そこでもともとしたかったことはできていなかった。そして、その事実が私の気持ちを暗くしていると気づいたのだ。

私は、学部で専攻していた犯罪学を活かし、直接事件を捜査し、判事と陪審員の前で弁論もし、説得力のある書類作成のできる刑事訴訟の専門弁護士になりたかった。あるいはエンターテインメント業界に進出し、音楽、絵画、映画に関連するすべての法的問題をはじめ、アーティストらの作品まで保護できるエンターテインメント専門弁護士になりたかった。

こうして弁護士としてやりたかったことが二つあったにもかかわらず、企業弁護士になり、全く別の業界で仕事をしていた。他の仕事に携わることを期待しながら、数年米国で経歴を積み、熱心に勉強したのだから、韓国での弁護士生活は当然満足できなかった。

人生でやりたいことを全部叶えながら生きるのは無理だと、頭ではわかっていたが、心のもやもやは消えなかった。今までやろうと決めたことは、何でもできると信じてきたのだが、韓国では叶わなかった。だから私は本当に難しい決断を下した。すなわち、夢はいったん保留し、今、私がいる立ち位置で他の夢を描いてみようと決めたのだ。

こうして考え方を変えると、私は今この場所できちんと仕事をしているのか、私がすべきことを後回しにしていないか、得ている収入に見合うだけの仕事ができているのか、そうでないのか、振り返るようになった。自分のしている仕事に対する価値も、定義し直すのだ。

距離を置いて冷静に眺めてみれば、今の会社でもさまざまな仕事を学べ、良い機会に恵まれているとわかった。ここで積んだ経歴は、米国弁護士なら一度くらいは必ず通らなければならない過程だという点も否定できなかった。さらに今の会社では、何よりも私が持つ力を充分に発揮できていた。

このように今の仕事は終わりではなく、また他の道へと続く一つの通過点だと考えられた途端、会社生活にゆとりと楽しさを感じられるようになった。

夢は変わることもある

ロースクール入学の際、最初はみんな法曹になるという同じ目標を掲げ、勉強を始める。

だがロースクールを卒業した今、友達を見回すと、みんな別々の人生を歩んでいる。ある友達は結婚してかわいい子供を産み、主婦として幸せな人生を送っている。またある友達は法曹が性に合わないとサービス業界に身を置いている。またある友達はコンサルタントになり、ある別の友達は職業軍人になった。みんなロースクールの成績や経歴とは無関係に、自分なりの幸せを探してこの世界から離れていったのだ。

幼い頃、なりたかったものは？

大統領や宇宙飛行士、科学者などいろいろあったはずだ。

今もその職業に就きたいだろうか？

そういう人もいるだろうが、そうでない人も多いはずだ。**夢は私たちを成長させる**

原動力であって限界値ではない。別々の道へ旅立った私のロースクール時代の同期のように、そしてもともと目指した道とは違う道を歩んでいる私のように、学びと経験を通して夢はいくらでも変わり得る。

たった一つの目標にだけ集中すれば、すぐに疲れてしまうだけでなく、自分に訪れる数多のチャンスを逃してしまうかもしれない。

今ある私の未来がどう広がっていくのかは、誰にもわからない。そして今、私が目標に対して失敗しているのか、あるいはもっと大きな目標に向かって進む過程にいるのかもまた、誰にもわからないのだ。

だからどこかうまくいかず、もどかしいときは、夢も変わり得るということを知り、自分に送られるシグナルをあきらめることなく観察してみよう。意外と簡単に答えが見つけられるかもしれない。

グローバルリーダーたちのモーニングルーティン

12

朝5時に起き、45分程度パワーウォーキング注をしながらその日の予定を立てる。
そのときに秘書と連絡を取ったり、後援者に感謝メールを送ったり、
夜中に起きたニュースをチェックする。
運動を終え、午前9時頃まで新聞三、四紙に目を通す。
このとき、私にはすでに正午の感覚だ。

ここ数年間、朝食はダークチョコレートアイスクリームだった。
私にとってのモーニングコーヒーだ。
チョコレートアイスはダークであればあるほど良い。

私たちには改善の余地が充分にある。
人生のあらゆる側面で、いかに責任を取っているか、
セルフチェックしなければならない。

――ナンシー・ペロシ　米国連邦下院議員・前議長[14]

注：心臓移植手術を経験したドイツの元競歩選手によって考案された歩き方。心拍数を基準に体に負荷をかけて歩く有酸素運動で、健康効果が高いと言われている。

Chapter

13

今こそ小さな幸せを探しに出かけるとき

暗闇で明るく見える幸せ

「今、幸せですか?」「いちばん幸せを感じるのはいつですか?」

そんな質問を受けたことはあるだろうか?

おそらくこんな質問を受けたら、ほとんどの人が「特に幸せだと思うことはありませんが、だからといって地獄のような日々を生きているとも思いません」と答えるだろう。

人によって幸せの定義はいろいろだろうが、以前の私はやりたいことを全部できるのが幸せだと思っていた。欲しいものをすべて手に入れ、くつろげる生活を送るのが幸せだと思っていた。
だが、今はやりたくないこともやり、嫌々ながら経験したからこそ本当の幸せを味わえるとわかった。

例えば、毎朝早起きして出勤準備をし、ラッシュアワーに出勤する人生自体は、取り立てて幸せではないかもしれない。でも、一日中ストレスを感じて働き、家に戻ってシャワーを浴びベッドに横になりくつろぐその瞬間は、短いながらもこの上なく幸せだ。明るく輝きを放つものは、暗闇があるから見つけられる。同じように、望んだことではなくても、仕方なくでもやり遂げた瞬間があるからこそ、別の場所で幸せを感じることができる。

もしも今、人生に飽き飽きしているなら、その理由は自分にぴったりの仕事が見つからないからかもしれないが、もしかしたら日常のささやかな幸せを感じる時間がないせいかもしれない。そういう幸せはとても小さくて、あえて探そうとしなければ見つからない。

人々は、平日は「現実」を生きているから、いくらつらくても週末には体を起こし、自己啓発をしたり、友達に会ったり、運動をしたり、趣味を楽しんだりするのだが、それはすべて似たような理由からなのではないだろうか？

つまり、自分なりの幸せを探すために時間を投資しているのだ。

このように普段から勉強、会社生活など、しぶしぶ何かしているなら、その時間以外に自分だけの幸福を感じることができる時間を持つ必要がある。

自分をつらくさせる日常から抜け出し、たとえ一瞬でも心の幸せを見つけることに集中すれば、人生は変わる。

いくら困難なことがあっても、気分が落ち込んで現実を楽しめなくても、すべきことをこなす時間と自分が幸せになれる時間をしっかり分ける習慣を身につけてみよう。

幸せを先延ばしにするのはやめよう

弁護士資格取得に向けて勉強するとき、私は多くのしたいことを合格後に回した。

「今は勉強しないといけないから」「明日も授業があるから」「来週、試験だから」と言いながら、健康や楽しみ、休息など自分を幸せにするものは、すべて贅沢だと思っていた。

当時、私にとっての最重要事項は、ただただ弁護士になることだった。勉強するときは忙しくて運動もできなかったが、弁護士になれば運動にも精を出し、体重を落とし、健康体を取り戻せると信じていた。その間できなかった趣味や自己啓発を楽しめる余裕も生まれるはずだと思っていた。

また、今は勉強のために家族や友達との連絡をすべて絶っているが、社会人になれば、大好きな人たちともっと多くの時間を過ごせるだろうと信じていた。目指す試験に合格し、就職し、お金を稼ぎはじめれば、そのときから私が望む人生を生きられるんだと自信満々だった。

しかし、現実はそうはいかなかった。

何しろ勉強には終わりがない。どんな職種であれ、これから少しでも成長しようとするなら、勉強を怠るわけにはいかなかった。受験準備で私が学んだことは、勉強の果てではなく、より効率的に勉強する方法だけだった。

そもそも運動する時間がなくなっている私が、忙しい会社員になって運動する時間があるはずはなかった。夜には残業や会食で運動する時間を確保しづらく、たまたま早く仕事を終えたところで疲労を感じて、好きで欠かさなかった運動すら先延ばしにした。そうやってひたすら後回しにして、とうとう週に一度だけ、まとめて運動をしてみたものの、いつからかそういう運動の仕方は、もっと疲れるだけで無意味だと思うようになり、運動する気さえ起きなくなった。

趣味や自己啓発も同じだ。趣味と自己啓発の楽しみを知らない私が、お金を稼ぐようになって、急にそれに気づけるわけがなかった。社会人としての私が楽しめる趣味は、上司と一緒に回るゴルフしかなく、自己啓発は会社の業務に必要なエクセル、パワーポイント、ワードの使い方の習得がすべてだった。

人間関係も例外ではなかった。勉強を優先して周囲の大切な人々とのやりとりを疎かにした私が、社会人になって突然まめに連絡を取れるはずがなかった。家族との関係も年に一、二度会って、両親にお小遣いを渡せば、礼は尽くしたと考えてしまっていた。

こんなことを全部悟って、私はやっと「○○をしてから」という考えで、人生に必要なささやかな幸せを先延ばしするのをやめた。目指す試験に合格し、良い職を得たとしても、夢に描いた目標を達成したとしても、本質的な自分は大きく変わることはないのだから。

幸せを見つける具体的な方法

明け方、私はとても幸せだと感じる。

出勤してからは、仕事のためにストレスを感じ、ミスでもすれば頭にくるのは当然で、何でも思い通りに事が運ぶわけではないから、明け方に持てる自分だけの時間にささやかな幸せに浸るのだ。

でも、明け方でなければ幸せを見つけられないわけではない。

小さな幸せを見つける方法はいくらでもある。そんなに大げさなことでも、難しいことでもない。だからこの機会に自ら幸せを感じられる時間を作ってみてほしい。

まず、普段イライラしてストレスを受ける空間や環境から自分を引き離し、幸せな時間を作ってみよう。

例えば、毎日勉強や仕事をするために、一つの場所に引きこもっているなら、他の場所の空気を吸うだけでも気分が上がる。コンピューターや本から少し目を離し、爽快な山の空気を吸いながらトレッキングしてみるのはどうだろうか？　でなければ、遠くへ出かける必要はないから、静かな明け方に部屋でアロマキャンドルを灯してみるのもいい。

もし試験や就職準備など、今まさに達成させたい人生の目標があり、長時間穴を開けられない状態なら、その夢のために邁進《まいしん》する時間を除いて、**一日にほんの1時間だけでも自分のために使おう。**

重要なことにより比重を置き、ほんの少しでも「夢を叶えたらやろう」と先延ばしにしたことを、実際に行動に移す時間を持つのだ。

自分で「幸せだ」または「感謝している」と感じる瞬間をリストアップして、その瞬間が頻繁に訪れるように、プランナー（スケジュール帳）に計画して書き入れてみるのもお勧めだ。

刹那的な幸せを受け身で感じるのではなく、自分で自分を幸せな状態にする時間を演出するのだ。美味しいケーキを食べるとき幸せを感じるなら、その日のスケジュールにケーキを食べると書いておき、自転車に乗るとき幸せを感じるなら、自転車に乗る、と書き入れる。

「今は時間がない」または「あとで成功したらやろう」と考える癖が生じたら、すぐに疲れてしまって、かえって夢から遠ざかるかもしれない。

さあ、今すぐ幸せをつかみに出かけよう。

健康を気遣い運動する習慣をつけ、人生に楽しみを持たせる趣味を持ち、大切な人々との思い出を集めてこそ、今の目標に到達後、次の目標に向かってすぐ出発することができるのだ。

グローバルリーダーたちのモーニングルーティン 13

私は毎朝4時30分に起きる。そしてジムに行く。
運動は、長くするほどのめり込む質《たち》だ。
結果を実感すると、自分をレベルアップさせたくなってしまう。

朝食にはスクランブルエッグとターキーソーセージ、
新鮮なグレープフルーツをいただく。
健康的なダイエットは食べ物を奪うことではなく、
バランスと節制にかかっている。
私は子供たちに、すべての食事で可能な限り
フルーツと野菜を食べなさいと言っている。

そうすれば、ピザやアイスクリームを食べても問題ない。
問題は、そのようなご褒美が習慣化されるときに生じるのだ。

私の毎日の最優先課題は、身体的であれ、精神的であれ、
私自身を幸せにしてくれるものだ。
すべてのルーティンは、このたった一つの目的につながっている。

――ミシェル・オバマ　元米国大統領夫人[15]

PART

4

人生を変えるモーニングプランナー

Chapter

14

司法試験合格の秘訣

再挑戦を可能にした時間配分

ジョージア州司法試験の合格発表日、私は何度も更新ボタンをクリックしながらコンピューターの前で一日中結果を待っていた。当時私は米国ジョージア州連邦裁判所で一年間契約スタッフとして仕事をしていて、その日は重要な裁判が予定されていた。法廷の進行状況を報告しなければならないため、震える手を押さえながら仕事に最大限集中しようと努力していた。

ちょうどそのとき、一通のメールが送られてきた。試験結果だ。気持ちが深く沈んだ。文章の出だしに書かれていた点数を見て、すぐに不合格だとわかったからだ。

この知らせをまず誰にどうやって知らせるべきか、途方に暮れた。今一緒に仕事をしている判事が私を追い出したら？　韓国に戻らないといけないだろうか？　来週に予定されている法律事務所の面接は？　これから勉強する時間がもっと減るのに、私の未来はどうなる？　何の判断もつかず、怖さのあまり涙があふれた。

私の表情を見て、結果を察したからか、すぐ隣に座っていた判事が昼食を挟んでまた集合という言葉と共に、裁判を中断した。そして私を含め、共に働くすべての社員を別の部屋に呼んだ。

「今日は特別に、私が美味しいものをご馳走するわ！」

涙を堪える私を慰めるため、判事はこんな話を始めた。

「ユジン、慰めになるかわからないけれど、ファーストレディのミシェル・オバマも試験に落ちたことがあるって知ってる？　今一緒に働く判事の中には司法試験を三回も受けた人たちもいるの。つまり、この試験結果があなたの人生を決定づけたりはしないってこと」

それでも慰められず、私は結局その場で泣き崩れてしまった。判事は私を抱きしめ、言葉を続けた。

「今日は早く帰って気の済むまで泣いて、落ち着いたらまた出勤して仕事に集中しましょう。私はあなたが、たかが一回の試験でくじけてしまうような人ではないってこと、よく知ってるのよ」

判事の温かい言葉にも気持ちが大きく上向くことはなかった。この数年間、青春を捧げ一生懸命勉強したのに不合格だったのだ。

いったいどういうこと？　綿密に準備して、自分なりに合格する自信もあったため、余計に結果を受け入れられなかった。すべての計画が霧散し、未来が見えなかった。

「試験がそんなにたいしたこと？」とクールにやり過ごそうともしたし「こんなに長い間準備して不合格だったのに、弁護士を目指すだなんて呆れちゃう」とまた地団駄を踏んだ。気分が安定するには程遠かった。

結局、私は自分に二週間の猶予を与えることにした。その間は出勤以外は、どこにも外出しなかった。あたかも自分に罰を与えるかのように、毎日部屋でひたすらぼうっとしながら物思いにふけった。

頭の中でさまざまな未来を描いてみた。

もしもここで試験をあきらめてしまったら、私にできることは何？　いくら考えても再受験するしか道は思い浮かばなかった。

ロースクール三年分の内容を学習し直すことより恐ろしいのは、勉強時間が足りないという現実だった。ビザを失効させないためには仕事を辞めるわけにはいかない。再試験を受けるなら、労働時間を除いた残りの時間をすべて勉強にあてなければならなかった。そんなことが果たして可能なのか？　いくら一度勉強した内容をもう一度復習するとしても、一回失敗したのだから、今までの勉強法はすっかり変えないといけなかった。

二週間悩んだ末、私は気を取り直し、次の受験を決めた。友達はすでにみんな弁護士になっていた。私だけまた置いてきぼりにされたような気がしたが、自分だけの呪文を唱えた。

「同期と比較せず、私が行く道にだけ集中しよう、集中、集中……」

選択の余地はなかった。本当に最悪の状況に置かれ、気を引き締め直す他に、特にできることもなかった。もう一度だけ自分を信じ、また立ち上がってみるしかなかった。

再受験を決心した日、仕事帰りに近くの文具店に行き、白い大きな画用紙三枚を購入した。そこに、予想外に変更を強いられた来年の目標を書いた。そしてトイレ、リビング、ベッドのすぐ横の壁に一枚ずつ貼り付けた。

次の試験までは三ヶ月しか残されていなかった。一日に与えられた勉強時間は、出勤前の3時間、昼休みの1時間、退勤後の4時間、この8時間だけだった。この1分1秒が大切だということを、日々思い起こす必要があった。
実際に書いた目標は次の通り。

一月：ニューヨーク州司法試験勉強
二月：ニューヨーク州司法試験
三月：仕事に集中
四月：ニューヨーク州司法試験結果発表日（必ず合格する！）
五月：ジョージア州司法試験勉強（再挑戦）
六月：ニューヨーク州弁護士宣誓
七月：ジョージア州司法試験
八月：韓国に帰国
九月：休息および韓国での就職活動
十月：ジョージア州司法試験結果発表日（必ず合格する！）

十一月：ジョージア州弁護士宣誓
十二月：韓国で就職

その年は、十一月から翌年一月までジョージア州司法試験ではなく、ニューヨーク州司法試験に挑戦しようと計画を立てた（米国の司法試験は、州ごとに受験しなくてはならない）。ジョージア州よりニューヨーク州の弁護士資格のほうが若干認知度が高く、転職の際、きっと有利に働くだろうと考えたからだ。

米国の司法試験は丸二日かかり、セクションごとに3時間ずつある。だから一回机に座ると基本的に3時間は勉強する習慣を身につけた。その時間内には、トイレにも行かず、水も飲まなかった。

明け方には前日の学習内容を復習し、当日の勉強内容を予習するというやり方で、3時間程度勉強した。そして予習した内容を忘れないため、メモ帳にテーマ別に大事な内容を書きとめて持ち歩き、出退勤時や昼休みに丸暗記した。退勤後にはさっと晩ご飯を済ませ、さらに4時間、過去問を解いた。

こうして仕事と勉強を両立させながら、日に8時間勉強していたら健康が悪化し、体重が10キロも増えた。目の焦点もうまく合わず、すべすべの皮膚に吹き出物ができて肌荒れし、自ずと血がにじんだ。

試験を一ヶ月後に控え、私は結局ひどい抑うつ状態に陥り、不安にさいなまれた。生ける屍《しかばね》のようだった。

仕方なく明け方に勉強する代わりに、近くの公園でジョギングを始めた。すると、思った以上によく集中できたのだった。それまで勉強時間に他のことをすれば、試験に落第するという不安に駆られていたが、実はその思考こそが私を弱くした正体だった。勉強と仕事だけしなければならない地獄のような日々の中で、明け方の運動が唯一の気分転換になってくれた。

そうやって二ヶ月が経ち、瞬《またた》く間に試験日が近づいてきた。最後の瞬間まで気を確かに持ち、勉強にだけしがみついていた。そして試験の日程に合わせ、ニューヨーク行きの飛行機チケットと試験会場付近のホテルを予約した。勉強だけでも死にそうにつらかったのに、こんなことにまで労力を使わねばならず、ストレスが限界に達した。

それでも、二日間のニューヨーク州司法試験は無事に終えた。

試験結果を待つ二ヶ月間は、仕事だけに集中した。これは、試験勉強のせいで仕事に身が入らなかったという罪悪感を覚えたためだ。

三月に迎えた誕生日にもパーティをせず静かに過ごした。合格するまでは、何かを楽しむ資格はないと思っていたのだ。今思えば、いったい何がそんなに不安だったのだろう？

いつの間にか四月になった。間違いなく合格発表日なのに、午後7時を過ぎてもメールが届かなかった。知人に訊いてみると、すでに結果を手にした人もいるとのことだった。もしかしてアドレスを間違えて入力したのではないかと心配になってきた。夕飯に食べたものが胃もたれしたようで、胃腸薬まで飲んだ。一緒に結果を待っていた友達、家族、同僚たちからメッセージが次々に届いた。努めて不安を取り払おうとベッドに寝転がったが、一向に瞼は重くなってくれなかった。

二〇一七年四月二十六日、夜11時を回り、ようやく試験結果が届いた。すでに合格を手にした友人たちの話では、最初の文章に「おめでとうございます！CONGRATULATIONS!」と書かれているとのことだったので、その言葉だけを探した。残念ながらその単語はなかった。また落ちたんだなと思うと意識がもうろうとしてきた。通知メールをゆっくり読み返してみた。

『ニューヨーク州司法試験委員会は、あなたの合格をお祝いいたします……The New York State Board of law Examiners congratulates you on passing……』

合格だった。

どれほど長いこと待ちわびた知らせか。涙が止まらなかった。弁護士になったという喜びより、時間を調整し、不安に耐え、つらい時間を一人で乗り越えた自分に感謝した。誰にも頼らず、最後までやり遂げたのだから、この先どんな苦難もすべて乗り越えられるように思えた瞬間だった。今思い返せば、その苦痛だった時間は贈り物だった。こんな経験がなければ、自分がどれほど強い人間なのか、わからなかったのだから。

計画より遅れた合格には違いないが、私はニューヨーク州弁護士になった。ジョージア州司法試験になぜ落ちたのか、自分でも不思議なくらい高得点だった。すでにニューヨーク州弁護士になったので、あえてジョージア州弁護士資格にこだわる必要はなかったが、再挑戦しようと心に決めた。私を蹴落としたあの試験がどれほどご立派な試験なのか、体当たりして確かめたかった。

悔しかったのか、心残りだったのか、あるいは私も知らないうちにまた強くなったのか？

はっきりはわからない。この何ヶ月か隙間時間をうまく活用すれば、働きながらでも充分勉強できることを自ら経験したおかげもあり、以前のように恐れを抱くことはなかった。

ニューヨーク州司法試験を周到に準備したおかげで、ジョージア州司法試験の準備は、思いのほか楽勝だった。時間にも余裕があり、他の州に赴かなければいけないこともなく、負担も少なかった。

韓国に帰国する一ヶ月前、とうとう試験日が近づいてきた。ジョージア州司法試験は一度不合格だったトラウマから、普段よりは緊張した。だが、すでにニューヨーク州弁護士資格を取得していたこともあり、楽しむ気分で、私を蹴落とした試験官に復讐でもするかのように余裕を持って試験に臨めた。そして韓国に戻り、結果を待った。

結果は、今度も合格だった。

初めからジョージア州司法試験に合格していたら、私はおそらく今と違う人生を歩んでいただろう。その人生が今よりどれほど良かったのかはわからない。でも、一回で合格した人々より、苦痛に満ちた時間を少しばかり長く経験した見返りに、米国二州の弁護士資格をつかみ取れたのは事実だ。

本当に時間がないのだろうか？

「とにかく忙しくて時間がないんです」

「通勤だけでもとても時間を取られて…」

「授業も聴かないといけないし、アルバイトもしなくちゃいけなくて」

そう嘆く人々をよく見かける。

特に何もしていなさそうなのに、なんでいつも時間が足りないんだろう？

いたって計画通りに実践したようなのに、なんで追われる気分がするんだろう？

私たちには本当に時間がないのだろうか？ ＳＮＳをチェックする時間はあっても本を読む時間がないのなら、友達に会って他人の悪口を言う時間はあっても運動する時間がないのなら、仕事がたまっているのにコーヒーを飲んでくつろぐ時間があるのなら、時間が足りないのではない。それは、時間を作っていないだけだ。

「今日は地下鉄で、絶対に本を読まないと」と心に誓ってカバンに本を入れたのに、結局通勤時間に地下鉄でスマホだけ眺めていたことはないだろうか？

「今日は絶対にジムに行かないと」と誓ってスポーツウェアまで準備しておいたのに、友達とおしゃべりに夢中になって運動を先延ばしにした経験はないだろうか？

急いで退勤して余暇に趣味を楽しもうと決めたのに、午後6時を回ってからあたふたその日の業務を処理しはじめ、結局何も始められなかったとしたら、時間がないのではない。

するべきことを先延ばしすることに慣れてしまっているだけだ。

私が再び司法試験に挑戦しようと決心したとき、真っ先にしたことは、勉強のためどれほど時間を捻出できるか計算することだった。忙しいと感じている日常も、細かく見てみると、浪費されている時間が必ず見つかる。ただ、その時間を集めることに不慣れなだけなのだ。

SNSとニュースをひたすら眺めるのをやめれば、一日に3、4時間作ることができると知っているのに、スマホを手放すことに抵抗があるから、その時間さえも確保できない。友達との会話を中断してジムに行けばいいものを、そう切り出すことに慣れていないから夜通しおしゃべりに付き合ってしまう。

つまり、しなければいけないことをすぐに終え、残りの時間を活用すればいいのに、計画を実践するよりずるずる先延ばしにすることに慣れきっているから、本当に何かをする段になって、急にバタバタするのだ。不器用なせいで、自分との約束が守れないのだ。

私たちの体は習慣に従順に動く。日常を逸脱する行動を取ろうとすれば、今までの慣性を打破しようとするため、普段よりもっと積極的な推進力と維持力が必要だ。「今日は絶対にやらなきゃ！」という心意気一つだけでは、自己啓発はもとより、どんな目標も達成することはできない。私たちにはその日の計画を実践できるように仕向けてくれる環境と動機が必要だ。

やりたいことは自分で見つけなければならない。そのためには、まず小さな成功が必要となる。些細な目標でも一日一日達成してみて「思ったより難しくないかも？」「いざやってみると、感動する」「何ヶ月か決めてやってみれば、すぐにできそう！」など、自信を与えてくれる肯定的な体験をしてみないといけないという意味だ。

いつも時間がないという言い訳で毎回目標を先延ばしにするなら、目標に向かって一歩踏み出せないという失敗の経験だけが積み重なり、何もできないで終わる。

小さな成功体験のために、プランナー（スケジュール帳）に仕事以外の時間を空けたままにせず、自分自身との約束を書き入れて満たしてみよう。

そして当分の間は、その約束を守ることが習慣となる環境を整えてみよう。「今日、ちょっと会える？」といった連絡を受けたら、思いきって断り、本を一行でも読んでみよう。友達とおしゃべりしたくなったら、音楽を聴きながら自分に集中する時間を持ってみよう。特にすることがないならＳＮＳで情報収集しようとせず、自分の部屋、コンピューターフォルダー、スマホの写真アルバムなど、日々目に映るところを整理してみよう。こんなふうに、小さな変化はやがて日常になり得るのだ。

スケジュールだけしっかり組んでも、なかった時間がひとりでに生まれるわけではない。**自らコントロールする生活をしてこそ、自分の望むスケジュールを組むことができる。**少しずつ味わった変化がきっかけとなり、それが自分だけの重心を定めてくれる。時間はないのではない。捻出すべきものなのだ。

グローバルリーダーたちのモーニングルーティン

14

季節によって私の起床時間は変わる。
冬には3時、他の季節にはたいてい5時に起きる。
アラームが鳴る前に目が覚め、
キッチンに行って水、オレンジジュース、コーヒーなどを飲む。
そして夜中に届いたメールとSNSの新しいフィードや
ニュースに目を通す。
ただ、自分から仕事関連のメールやメッセージは送らない。

午前6時30分になるまで、大きな窓の前で猫を撫でながら日の出を眺める。
7時になると15分程度出勤準備をし、8時30分までに職場に到着する。

ビジネスを始めてから明け方3時に起きても二度寝をしなくなった。
金融危機のときですらそうだった。
他の起業家たち同様、似たような日が二日と続いたことはない。
日常で唯一、一貫性のあるスケジュールは起床時間だ。
邪魔されることなく、思いを巡らすことができる明け方は最も生産的な時間だ。

――サリー・クラウチェック　女性向け投資ファンド エレヴェストCEO

Chapter 15

私の一日は朝4時30分に始まる

寝る前に明日の準備

前にも話したように、明け方起床は前の晩から始まる。翌日の計画をどう立て、何時に寝たのかによって朝が変わってくるからだ。

私は一日を終える前、その日のスケジュールを振り返る。

私のプランナーには、今日は何時に起床して、何をしたか、いつ出勤したのか、そして移動中には何をしたのかまで細かく全部書かれている。出勤してからは、どんな業務を終えたのか、昼休みには何をしたのか、退勤後には何をしたのかも確認する。そして前日作成したリストから、今日したことを黒いマーカーで線を引いて消してしまう。

私は日記をしたためたり、出来事を几帳面に記録する性格ではない。明日はこんな一日を過ごそうと心に決めたりもできない。ただ単純に、今日は何をしなければならなかったのか、しなければいけないことをすべて終えたのか、もっとやりたいことはないのか、チェックするだけだ。そして万が一、今日すべきことができていないことを発見したら、その瞬間すぐに片付けてしまうか、明日「必ずすることリスト」に書き置いておく。

このように私は一週間のスケジュールを点検する用途でプランナーを使っている。この過程を通し、今日するべき仕事を一生懸命やったのか、そうでなければ怠けて過ごしたのか知ることができる。そしてプランナーに列挙されていたリストが消されると、明日もうまくいきそうな自信が湧く。

このとき、黒いマーカーでリストを消していくと後から確認できないので、記録用にプランナーを使いたいなら、ボールペンで薄く線を引くか、項目の隣に印をつける手もある。

今日こなした仕事を全部見直した後、明日の明け方から晩までにすべきことのリストを作成する。これをやり遂げるんだと自分と約束することを、詳しく書く。4時30

分起床、出勤準備、出勤、朝食など当たり前のことまで全部だ。些細な内容もリストにしておけば、一日を振り返るとき、多くのことを成し遂げたという達成感が得られるからだ。

もし朝早起きしてまで特別にすることがないなら、いろいろ選択肢を用意してみる。例えばコンディションが良ければ運動を、そうでなければ読書をしたい場合は、「運動or読書」と書き入れるのだ。このように翌朝の状況に合わせたオプションを用意しておけば、明け方起床をあまり気負わずに済む。

仮に、特に約束やすべきことがない場合は、何かできるまで待っているのではなく、プランナーを新しい予定で満たしておく。友達と約束するように、自分と約束をしておくのだ。

普段からやってみたかった趣味でもいいし、机の整理、部屋の掃除、ドレッサーの片付けなどの単純作業でもいい。私の場合は、その日の予定とは関係なく、読書、郵便物の送付、スマホケース注文、メール返信などで一日を計画する。

そのとき重要なことは、プランナーを時間別に細かく作成しないようにすることだ。そうすれば、新たに約束ができたり、スケジュール変更したりしても、問題は起きない。書店に行く用事があるなら「夕方6時30分に書店に行く」と書くのではなく、「書店に行く」とだけ書いておけば、昼休みであれ、退勤後であれ、合間を見計らって書店に行けばいい。

このように前日の夜に、翌日することを書いておけば、朝起きる理由と明日への期待が持てる。次のページの図1で、具体的な私のＴｏ Ｄｏリストをお見せしよう。

	起床時間	4 時 30 分		就寝時間	10 時 00 分

REMINDER

・書店に行き、スケジュール帳を検討
・スマホケースを注文

3	4	5	6	7	8	9	10	11	12	1	2	3
午後の仕事			移動時間		自由時間		就寝時間					

・移動時間に読書orメールの返信
・夕食
・YouTube編集
・デスク整理
・ヘアカラー（家で）
・スマホ料金の支払い
・ナイトルーティン（スキンケア）

図1 ● 通常の日のTo Doリスト

日付	×月 ×日	月 火 水 木 金 土 日

目標／決心

今日も自分との
約束を守ろう！

隙間時間

・読書

MEMO

明日もうまくできそう。明日はどんな一日になるかな。

持ち時間	4	5	6	7	8	9	10	11	12	1	2
活動時間	ボーナスタイム			移動時間	午前の仕事				昼休み		

To Do List

・朝4時30分に起床
・自分だけの時間を準備
・読書or動画編集
・出勤準備
・朝食
・昼休みに運動
・ポッキーデイ（ポッキーを買って食べる）
・○○書店に寄る

プランナーを仕上げたら、ベッドに潜り込む。

朝4時30分に起床するためには、しっかり睡眠時間を確保するのが理想だが、わざわざ早く寝る必要はない。何の目的もなくＹｏｕＴｕｂｅを見たり、ＳＮＳを眺めて夜中まで起きているのでなければ、いつでも自分の体が快適な時間に眠ればいい。

この時間は明日の自分との約束を守るために準備する時間であって、スマホをいじりながら休息する時間ではないことを記憶しておこう。

明け方に起きたら、自分だけの時間

朝4時30分、アラームが鳴る。

正直に言うと、4時30分にアラームをセットして寝たにもかかわらず、私は1分早い4時29分に起きることもある。ＹｏｕＴｕｂｅチャンネルを運営し、4時30分にアラームが鳴るシーンを撮影しなければならないためだ。1分といえども、朝にはものすごく大きな違いがある。

アラームが鳴るたびに、常に「起きて！　人生が変わるから」というメッセージが表示されるよう設定している。

毎朝、目覚めにこのメッセージを心に刻むわけではないが、体がだるく、起きたくないときにはこのメッセージが頭をかすめたりもする。

アラームが鳴ると、私の頭の中では葛藤が始まる。

「もうちょっと寝ようかな？」「明け方に起きて何が変わる？」「今日は、夜に約束もないんだから、朝しようと思っていたことは退勤後にやろうか？」雑多な考えが浮かぶ。

何年間も朝4時30分の起床を実践してきたが、いまだに当たり前のようにこんな葛藤が繰り返される。そのたびに私は「通勤バスで寝よう」「つらいのは今だけ、顔を洗ってコーヒーを飲めば大丈夫」「今起きて動画を編集したら、夜にアップできるじゃない」と、もっと寝ようという甘い誘惑に反駁《はんばく》する。

そして起き上がる。でもこんなやりとりは5秒もかからない。

明け方に起きるほどつらい戦いはない。

でも、この戦いに勝利すれば、どんなこともやり遂げられる。自分で決めた計画通りに今日の目標を達成することができる。あとで昼寝をしたとしても、今は起きることが先決だ。

起きたらすぐに洗面所に行き、歯磨きと洗顔をする。昼休みに運動の予定がない日にはシャワーも浴びる。毎日繰り返される行動になると、すべての動きをいちいち覚えていない。ベッドから起き上がることさえできれば、それほど自動的に始まる一連の動作であり、今日一日が始まったと自分に教えてくれるシグナルだ。

洗顔後は、乾燥した肌に化粧水を塗ってなじませる。特別な肌のお手入れはしない。朝に無理なく実践できるよう、最大限簡単で楽な方法を取るだけだ。

ある程度肌が整ったら、キッチンに向かう。朝に飲む一杯のお茶は、私が朝起きる楽しみの一つだ。たまにコーヒーを飲むこともあるが、よほどのことでない限り食前には控えている。代わりにフルーツティー、ハニーティー、ノニティー（韓国で人気の健康茶）、ハーブティーなどその時々のコンディションに合わせていろいろなお茶を淹れて飲む。飲むと体が温まり、血行が良くなる感じがする。この習慣ができてからは、海外出張に行くとその国でしか売っていないお茶を買ってくるのが一つの楽しみとなった。
温かいお茶を淹れ、部屋に戻って好きな音楽を聴きながら机の前に腰掛ける。そしてオイルバーナーやアロマポットで香りを広げ、集中力を高める準備をする。明け方はたいてい薄ら寒いため、フットバスで足を温めたりもする。そして昨晩書いておいたスケジュールをつぶさに見ながら一日を始める。

私のモーニングルーティンは、できる限り無理のないように組んである。

朝、早起きするだけでも大変なのに、ひどくエネルギーを消費するスケジュールを詰め込んだり、あまりに面倒なことをすれば、明け方起床がつらくなり、その日一日疲れてしまうからだ。反対に、簡単なことでも自分を大切にすれば、早起きに拒否感を抱かなくなるのはもちろん、ストレスを解消し疲れた心を癒せるから、明け方の時間が待ち遠しくなるくらいだ。

明け方4時半から出勤準備するまでは、完全に私だけの時間だ。

この時間は、ＹｏｕＴｕｂｅにアップする動画編集をしたり、運動したり、本を読む。やり残した仕事を処理したり、最近興味を持った新たなことに挑戦したりもする。最近は画像加工や絵を描くことなどのさまざまなオンライン授業に関心があり、近いうちにグラフィックデザインにも挑戦したいと思っている。何をするにしても4時30

分に起床すれば、1時間30分程度の自由な時間が生まれる。とはいえ、この時間は思ったより早く過ぎる。それほど集中してしまうのだ。

6時になると、またアラームが鳴る。明け方にあまりにも集中力が高まり、時間が過ぎるのも忘れて何かをしていることがあるため、アラームをかけておくのだ。

アラームが鳴ると、心の余裕を持って出勤準備をする。通勤バスが6時30分頃に来るため、15分かけて着替え、カバンに物を詰める。身支度は3分以内にできるだけさっと終えて、家を出る。

出勤したら、弁護士としての自分が登場

私はバスでスマホを見られないほど乗り物酔いがひどい。だから普段は音楽やオーディオブックを聴く。そんなとき、知らぬ間にうとうとすることもある。明け方に早起きして意味ある時間を過ごしたので、この時間には絶対何かをしなければというストレスがなく、安心しきって休んでしまうのだ。

会社に到着したら午前の仕事に取りかかる前に、まず同僚たちと一緒に朝食をとる。早起きするだけに朝食は抜かずしっかり食べるタイプだ。そして温かいインスタントコーヒーを一杯飲み、歯磨きをして仕事を開始する。

会社では、企業内弁護士として法律諮問をはじめ、国際契約、交渉、訴訟・仲裁などさまざまな海外業務を担当し、処理している。**出勤前に自分だけの時間を持てたおかげで、勤務時間には完全に仕事だけに専念できる。**

昼休み、自分の健康が最優先

昼休みには、前日計画した通りに運動をする。

もともと自宅近くのジムに通っていたのだが、退勤してからだと疲れすぎていてきちんと運動ができないと気づき、昼休みの2時間に運動することにして会社近くのジムに登録した。朝をしっかり食べるようになったからか、昼にお腹が空かないことが多いが、運動して熱心に体を動かせば、ある瞬間、空腹を感じる。そうしたら会社にまた戻る前に、カフェで一人、サンドイッチでもつまんで簡単にお昼を済ませたり、社員食堂を利用する。

同僚たちと一緒に食事をすることもある。ほとんど事前に約束するので、その日には明け方か晩に運動する計画を立てる。

もちろん急に仕事が入ったり、用事ができて昼に運動できなくなることもある。そんな日は、退勤後に体を動かしに行く。このように、状況に合わせて、その都度スケジュール調整もするが、**時間と順序が変わるだけで、その日の目標に定めた運動は、なるべく欠かさないように努力している。**健康が最優先だからだ。

退勤したら、自分だけのナイトルーティン

退勤してから就寝前まで、たいてい4時間残されている。それでも、合わせて2時間程度の移動時間と夕食時間を除くと、疲れた体でできることは限られる。帰宅すれば午後8時くらいだが、夕食をとって少しまったりしてい

たら、知らない間にすぐに9時を回ってしまうからだ。

この時間は一日を終える時間として、ベッドに入る前、自分だけのナイトルーティンを始める。楽な服に着替えて、スモッグ（大気汚染）や老廃物などで乾燥した目と肌の手入れをしながら、テレビを観たり、音楽を聴きながらくつろぐ。今日も頑張った自分に与える特別なご褒美だ。特に疲れてもいない日には、好きな動画編集をする。「仕事から帰って、まだ何かするの？」と思うかもしれないが、自分にとって楽しいことは、どれも休息に等しい。

ベッドに入る前にはプランナーを確認し、明日のために準備する。

こうして私の一日は、私と始まり、私で終わる。

グローバルリーダーたちのモーニングルーティン 15

朝は4時30分に起きる。
他の人より先に起きたという優越感を味わうためだ。
時計のアラームは三つかけておく。電池式、充電式、ぜんまい式。
一つだけでもいいのだが、残りは予備用だ。
起きてさっとシャワーを浴びてから、
腕時計の写真を撮り、ツイッターにアップする。
こうすれば、私自身と他の人々にとって刺激になるからだ。

前日の夜に選んでおいた服を着て
ジムに行き、1時間程度運動をする。

その日の天気によっては、ビーチに行って
泳いだり、サーフィンをする。
6時頃運動を終えたらシャワーを浴びて出勤し、仕事を始める。
腹は空かないので、食事は軽くナッツ類で済ませる。

誰もが朝4時に起きる必要はない。
何時であっても、起きて体を動かすことが重要だ。

――ジョッコ・ウィリンク　米国海軍特殊部隊ネイビーシールズ元指揮官

Chapter 16

一日をコントロールするスケジュール作成法

時間は誰にでも平等

一日24時間は誰にでも同じように与えられている。

けれども時間の使い方はそれぞれ異なる。ある人は、多くのことをしつつも余裕を持って一日を楽しみ、ある人は、特にすることがないにもかかわらず、慌ただしく一日を駆け抜ける。

なぜこんな違いが生じるのだろうか？

余裕ある一日になるかどうかは、時間に引きずり回されるか、あるいは時間を掌握しているかにかかっている。世界中を探しても時間を止められる人は（おそらく）いない。時計の針は、私が管理しなくても流れていく。だから、自分の目標とその目標を達成するためにすべきことをしっかり把握し、自分にはどれほど時間が与えられているのか、隙間時間をどれほどまだ確保できるのかを確かめ、スケジュールをコントロールしなければならない。これを実現させるために私が主に取っている方法が、まさにスケジュール作成なのだ。

明け方起床を本格的に実践するに先立ち、自分の一日のスケジュールを一目でわかるように可視化すれば、浪費時間を見つけることに大いに役立つ。出張や特別な計画がない限り、私の日常は日々似たり寄ったりだ。おそらく、大部分の人がそうではないかと思う。学生ならば毎日授業に出るだろうし、会社員ならば毎日出社するだろう。

このように自分では調節できない時間、調節できる時間、移動に使われる時間を分けてみると、どこで隙間時間を確保できるか把握可能だ。

次のページから私が実際に作成するスケジュールを細かくお見せしながら、より詳しく説明をしよう。**ここで重要な点は、やることを時間別に指定せず、明け方、午前、昼、午後、退勤後に分け、すべきことを配分するということだ。**

―STEP1―
起床時間から就寝時間までを検証する

まず起きてから寝るまで、自分に使える時間が何時間あるのか検証してみよう。

図2で24個のセクションに分けられたこの横長のバーは、私が実際に使用しているプランナーの一部だ。

私の一日は、明け方4時30分に始まり、夜の10時頃に終わる。朝8時に出勤するのに、4時30分から一日を記録する必要はないと思うかもしれない。でもこのチャートは単純に仕事の記録用メモではなく、自分が望むスケジュールを実践するために役立てるプランナーなので、起床時間から表示されている。こうして自分が起きた時間から24時間を1時間間隔で書いてみよう。

図2 ● チャートで活動時間を検証する

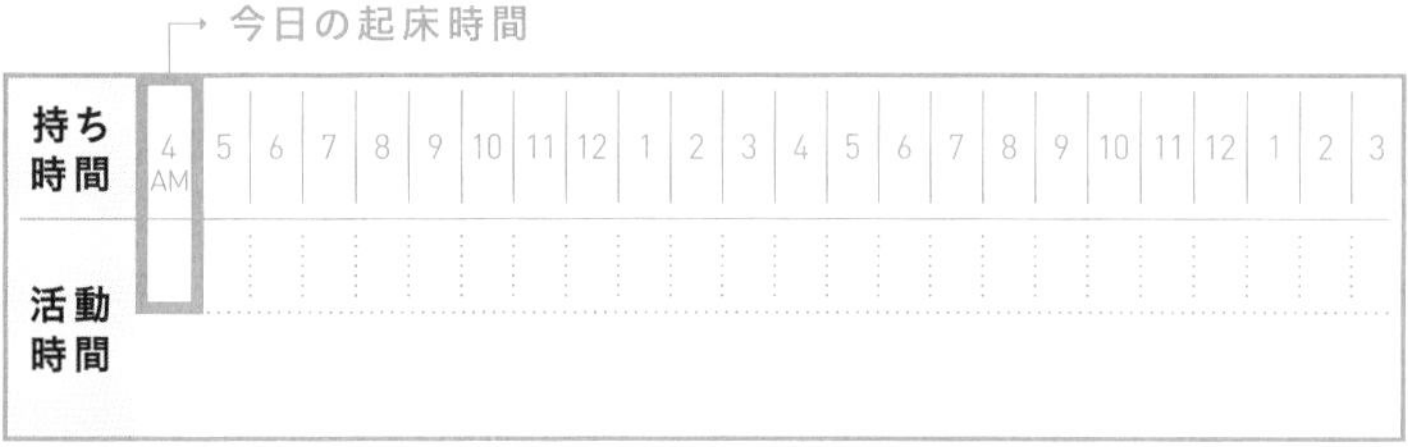

―ＳＴＥＰ２―

調節できない時間を可視化する

先に話した通り、私の出勤時間は朝8時で、退勤時間は夕方6時だ。すなわち、8時から6時まで10時間は会社に拘束されるため調節不可能という意味だ。

〈ＳＴＥＰ１〉で書いた表に、調節不可能な時間を、別途書き入れてみよう（図3参照）。

出張に行ったり、仕事が急に入って予想外の残業を強いられることもあるだろうが、頻繁に起こることではないので、そのような特殊ケースは除外し、毎日繰り返される事柄をチェックする。

こうして仕事や授業などで固定されている時間の下には、関連性のあるＴｏＤｏリストを作成する。特別な約束さえなければ、この時間以外は任意で時間を確保できる。一日のうちの多くの時間を毎日同じように使うことに飽き飽きするかもしれない

図3 ● 調整可能な時間を塗りつぶす

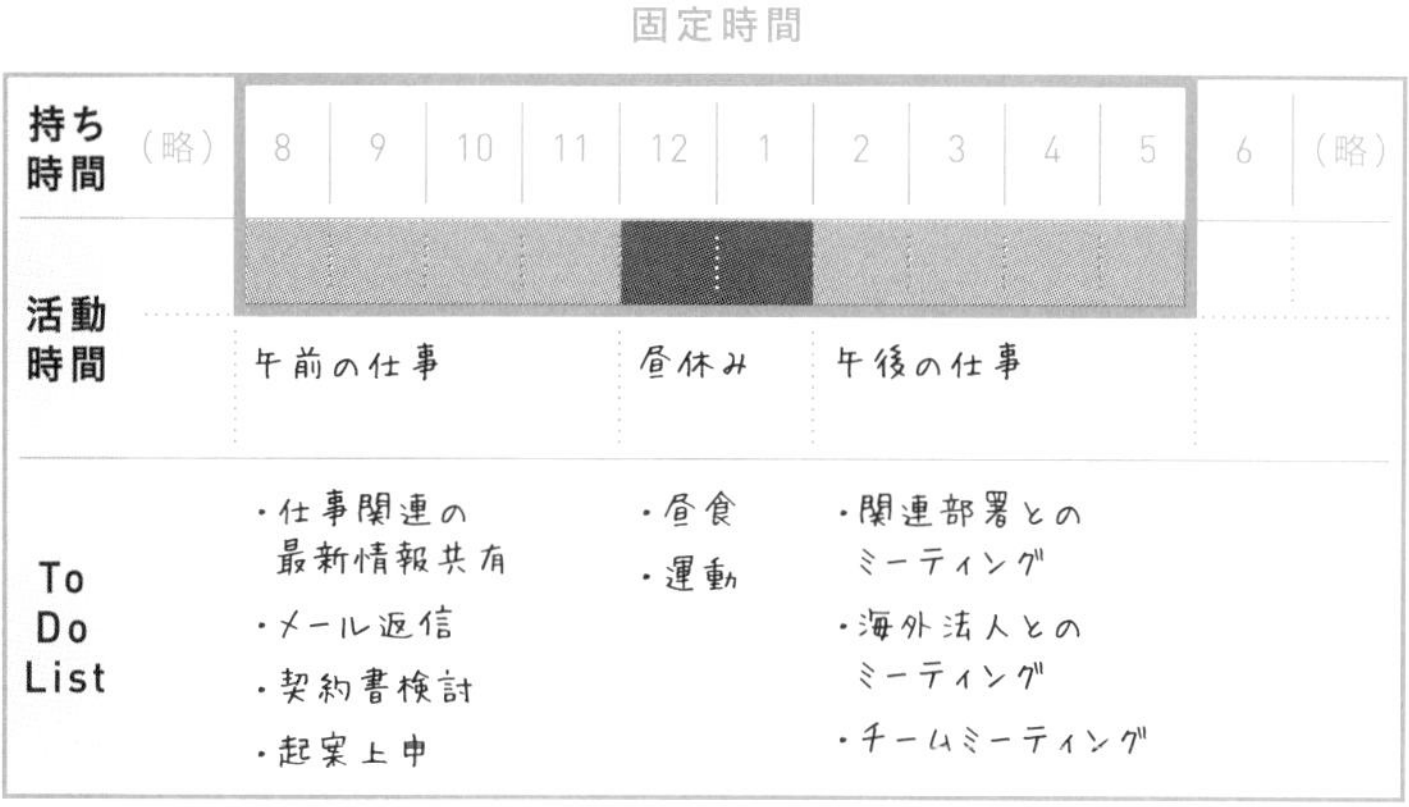

が、時間が変動するわけではないから望み通りのルーティンを組めるというメリットもある。私は固定されている時間に、すべきことを適時に仕上げることができないせいで他の時間を取られないように、時間内に終えるべき仕事を中心にリストを作成、最大限達成させようと努力している。

　一方で、すでに述べたように、私の勤務先の昼休みは2時間だ。この時間にできることは、本当に多い。私はこの時間を利用して動画編集を習い、プログラミングのオンライン講義を視聴したこともある。あれこれ始めてYouTubeチャンネルも運用するに至った。最近では主に運動をしているけれど、お腹が空かないときは、まず1時間半運動し、残りの30分で食事をしながら休憩する。

私とは違い、昼休みが1時間の会社員も多いはずだ。何時間であれ、その間に、昼休みに何ができるのか、今一度よく考えてみよう。会社員の特性上、同僚たちと一緒に食事をするケースが頻繁にあるなら、その時間は楽しい親睦の時間のままでも構わない。

反対に、**もしも昼休みを一人で過ごすことが多いなら、簡単にランチを済ませ、リストのうちの一つをこなせるかもしれない。**仮に、その日は書店に行く用事があったり、郵便局で郵便物を送る必要があるなら、昼休みを活用してみよう。そうして空いた時間に用事を片付けておけば、一日がもう少し余裕あるものになるはずだ。

一つアドバイスできるとしたら、**毎日同じ昼休みを過ごす必要はない。**ある日は同僚と一緒にランチをしてコーヒーを飲みながら時間を過ごし、またある日には、一人でさくっと食べて運動や読書をするなど、いろいろバリエーションをつけるのだ。そうすれば、一週間、飽きずに過ごせるだけでなく、無理なく自己啓発ができる。

— STEP 3 —

空いている時間に、活用可能な時間を確保する

さあ、そろそろ自分に自由時間がどれほどあるのか、見当がつく頃だろう。

図3で作成した表で固定されている時間から寝る前まで、何時間確保できるかチェックしてみよう（219ページの図4参照）。

私の場合、これといって予定もない日には、夕方6時に退勤して10時に床につくまで、4時間程度の自由時間を確保できる。このうち食事時間と移動時間を合わせた2時間を引けば、純粋な自由時間は2時間だ。

前日の夜にスケジュールを立てるときは、特別な約束がなくても、この時間にしなければならないことを埋めておく。この時間を私がコントロールする時間にしたいからだ。

ここで重要な点は、すべきことを時間別に指定してはならないということだ。社会人としての生活は、退勤後、帰宅してシャワーに入り、夕飯を食べ、少し休むともう

8時なんて日はしょっちゅうだ。それでも前日に「夜7時30分から8時30分まで語学の勉強」と予定に書いてあったらどうするだろうか？　ふつうは「30分も遅れたから、明日にしよう」と思ってしまう。反対に、就寝までに、自由にすべきことを完了する方式で計画を立てるなら、大きなプレッシャーなく、面倒くさがらずに目標を達成できる。

また、ToDoリストを作成するときは、非現実的なほど多くのことを記入しないほうがいい。頑張りすぎて息切れし、燃え尽きてしまうかもしれないからだ。普段やり逃したもの一つか二つを終わらせるだけでも自然に次の日が変わる可能性がある。そして自分が立てた予定にある程度慣れてきたら、一つずつやることを増やすのもお勧めだ。

私は移動時間も積極的に活用しようと努めている。朝の通勤バスでは車酔いするため文字は読めないが、退勤するときは地下鉄に乗るので問題ない。その日にすべきことのうち、「読書」あるいは「メールの返信」などがあるなら、このときにしてしまうこともある。

図4 ● 活用可能な時間を可視化する

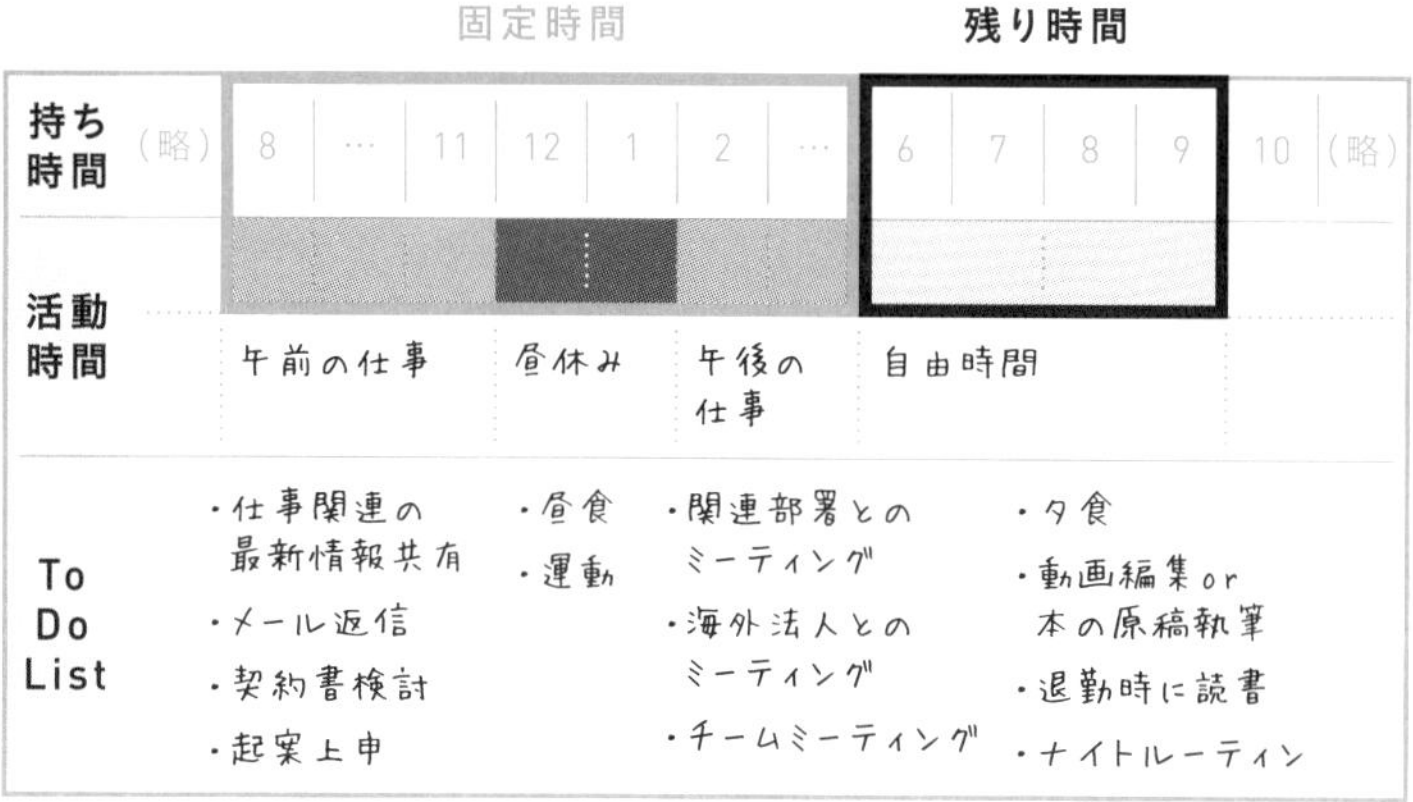

このように、退勤後に必ず自由時間を確保できるならいいが、当然残業をしなければならない日や、会食あるいは夕食の約束がある日もあるだろう。勤め人に限らず、避けられない予定が夜に入る場合も少なくない。そんな日には、どうやって予定を組めばいいだろうか？　残業する日と、会食あるいは知人との夕飯の約束がある日の予定を例に挙げて説明しよう（221ページの図5-1、図5-2参照）。

ここ何ヶ月かの私のプランナーをつぶさに見返すと、退勤後、自由時間にいちばん多くしたことは、残業、知人との約束、運動、趣味、勉強、原稿執筆、休息、この七パターンだった。このうち残業、知人との約束は、成り行き上たまにあることで、趣味、勉強、原稿執筆、休息は、ほぼ固定されたスケジュールだった。**こう**

して夜にすべきことを作成する際は、空いた時間を活用して必ず実践すると決心したことと、その日だけ特別に生じることを区別して作成するのがいい。

まず、私が自己啓発のために必ずしようと決めたこと、すなわち運動、趣味、勉強、休息などは固定のものとして作成する。図5-1、図5-2、図5-3のように、「退勤時に読書」と「ナイトルーティン」というスケジュールが固定されている。

このようにあらかじめスケジュールを固定しておくと、夜に充分な自由時間を確保できなくても、これだけは必ずやるんだという気持ちが湧いてくる。また、退勤後に体を休めたくなっても「時間が空いたんだから遊ぼう」とは考えず、固定された予定をこなすのが当然だと考えるので、目標達成率が高くなる。

これ以外にもう一つ、やることが変動する場合がある。私が昼休みを活用して運動するという話を覚えていると思う。子供の頃からスポーツをしてきたからか、私は毎日体を動かさないと、どこか少しうずうずする。それでもお昼に同僚と約束ができて、運動できない日がたまにある。そんなときは、その日のスケジュールによって、運動の予定を昼から夜に動かし、せめてもの時間を確保しようと努めている。

図5-1 ● 残業する日の場合

	固定時間			残り時間	
持ち時間	（略） 8 … 11	12 1	2 …	6 7 8 9	10 （略）
活動時間	午前の仕事	昼休み	午後の仕事	自由時間	
To Do List	・仕事関連の最新情報共有 ・メール返信 ・契約書検討 ・起案上申	・昼食 ・運動	・関連部署とのミーティング ・海外法人とのミーティング ・チームミーティング	・夕食（サラダ購入） ・残業（プロジェクトA検討、報告書作成、契約書最終検討） ・退勤時に読書 ・ナイトルーティン（フェイスパック）	

図5-2 ● 夜に会食をする日の場合

	固定時間			残り時間	
持ち時間	（略） 8 … 11	12 1	2 …	6 7 8 9	10 （略）
活動時間	午前の仕事	昼休み	午後の仕事	自由時間	
To Do List	・仕事関連の最新情報共有 ・メール返信 ・契約書検討 ・起案上申	・昼食 ・運動	・関連部署とのミーティング ・海外法人とのミーティング ・チームミーティング	・会食（9時前に席を立つ） ・退勤時に読書 ・ナイトルーティン（アイマスク）	

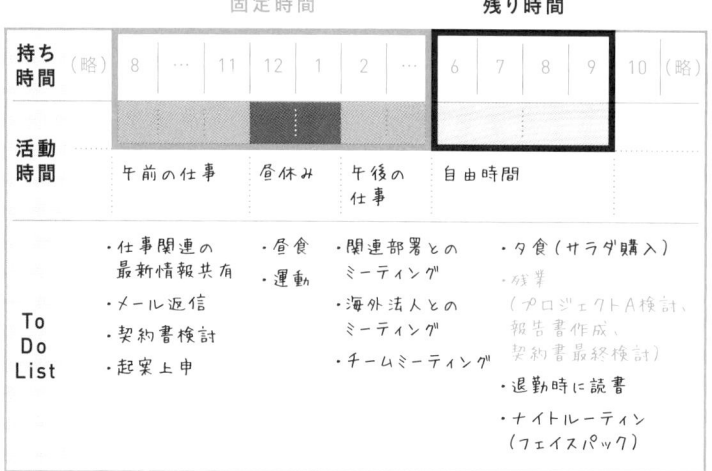

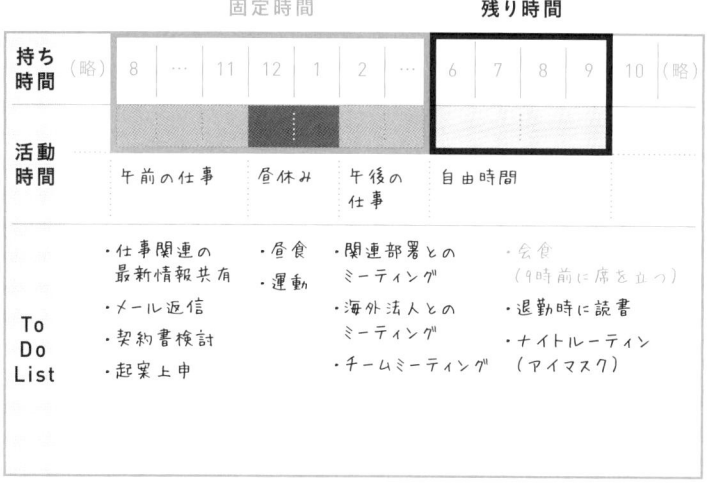

図5-3 ● ランチをする日の場合

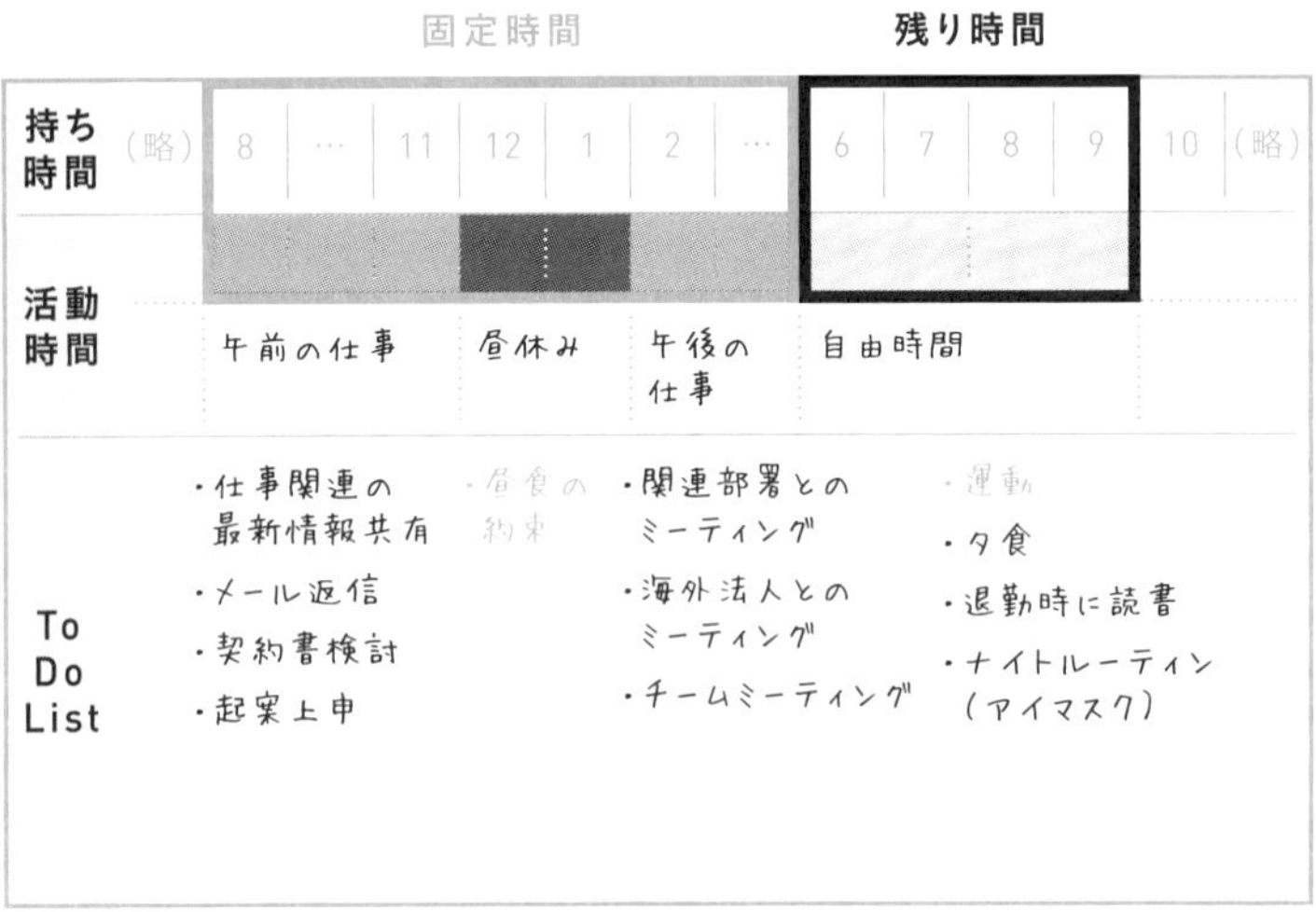

―STEP 4―

ボーナスタイムを確保する

人生は思い通りにいかないことばかりだ。

退勤後、疲れた体を引きずり、満員電車に揺られて自宅に戻り、シャワーを浴びて晩ご飯を食べると、何もしたくなくなる日がどれほど多いだろうか？　急な約束は、なぜこんなに多いのか、毎回断るのも申し訳ないから晩ご飯だけ付き合って帰ろうと心に誓うのだが、うまくいかないことが多い。

先に触れたように、私は明け方を「自分がコントロールする時間」、残りの時間を「運命に任せる時間」と表現する。早起きしてできた時間には何にも邪魔されないから、計画したことを実践できるが、それ以外の時間には、いくら事前に計画を立てたところで、予想外に変更を余儀なくされることがあるからだ。

自分を最優先に置くためには、余った時間に自分だけの時間を割り当てるのではなく、積極的にその時間を確保しなければならない。少しでも自分に時間を投入しよう

図6 ● 朝のボーナスタイムを設定する

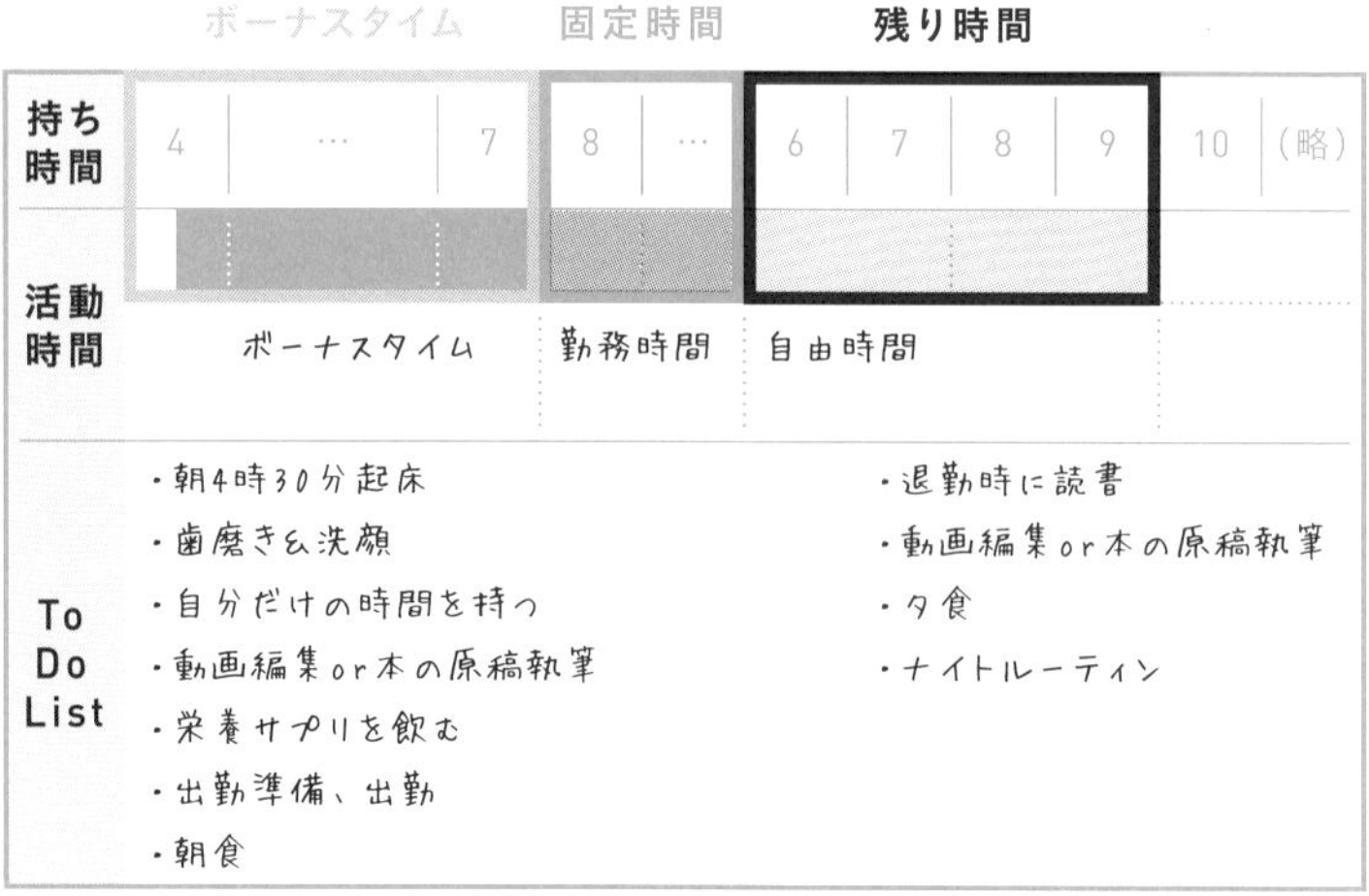

という意味だ。そして、この時間はそれ以外のスケジュールが始まる前に確保できる。それがまさに私たちが明け方に早起きすべき理由だ。

私が明け方に何をするかによって、残りの時間に得られることもまた変わってくる。**朝起きて出勤するまでの時間をプランナーに「ボーナスタイム」として表示し、この時間に何をするか作成してみよう。**こうして作られた私のスケジュールは上記の図6のようになる。

予想外に仕事が押し寄せたり、退勤後自宅に仕事を持ち帰らなければならないときも、明け方の時間を活用して自分だけの時間をすでに手にしていたら、何も失わずに済む。残業をした日でも、私のスケジュールを見れば、むしろずっと多くのことを一日の目標で達成していたことがわかる。

会食がある日も同様だ。こんなときは明け方に読書する代わりに、今週アップする動画を編集し、本は地下鉄で読むと計画を立てる。会食は大体6時30分から始まり9時頃に終わるのだが、私はお酒を飲まないため、移動時間に何かすることに大きな負担は感じない。稀に会食が長引きそうなら、「お先に失礼させていただきます」と堂々と告げ、店を出ることもある。自分との約束を守ることが、より重要だからだ。

時折、人との約束が流れる日もある。そんなときは、その日すべきことからその時間にできることを選び実行する。例えば、昼に約束があるため明け方に運動をしたのに、予定がキャンセルされたら、空いた時間にごろごろしたりせず、動画編集や勉強や読書をする。そうすれば、時間を有効に使える。

明け方のボーナスタイムを活用するときは、計画したことは全部やらねばとプレッシャーを感じないでほしい。明け方起床で得られた時間は自分を成長させる時間で、勤務時間のように自分に負担をかける時間ではない。例えば、明け方に動画を一生懸命編集したにもかかわらずまだ仕上がっていない場合、夜や昼休みに余った時間で終わらせればいい。また明け方に何もせずに休んだなら、エネルギーを充電したのだから、午後もう少し頑張って働けばいい。

ボーナスタイムは心理的に緩衝剤になってくれる。退勤後、疲れすぎて何もしなかったとしても、明け方にある程度やっておいたから大丈夫だと考えられるからだ。

明け方自己啓発を続ければ、夜にはもう少し余裕を持って一日を終えることができ、こんな生活に慣れれば、また他の趣味を持つこともできる。途切れることなく他のことをしてみたいと思えるエネルギーは、朝４時30分の起床で得られたボーナスタイムが私にくれた贈り物だ。

これらのことをすべてまとめると、２２８～２２９ページの図７のようなスケジュールが立てられる。明け方に自分だけの時間で一日を始め、隙間時間も思いきり活用する。午前の仕事と午後の仕事の間には、美味しいランチを食べ、運動をする。

そして退勤後には趣味を楽しんだりして、くつろいで休みながら一日を終える。明日はまたどんな一日が始まるだろう？　毎晩、明日が楽しみになるのだ。

起床時間	4 時 30 分	就寝時間	10 時 00 分

REMINDER

・銀行にTEL(031-000-000)
・ジムのロッカー使用料支払い
・民間資格証明情報について調べる
・スマホ料金支払い
・スポーツウェア準備

3	4	5	6	7	8	9	10	11	12	1	2	3

午後の仕事	自由時間	就寝時間

・関連部署とのミーティング
・海外法人とのミーティング
・チームミーティング

・夕食
・ピラティス/ダンススクールの日
・YouTube動画編集
・ヘアカラー(家で)
・スマホ料金支払い
・ナイトルーティン(スキンケア)

図7 ● 完成したモーニングプランナー

日付	×月×日	月 火 水 木 金 土 日

目標／決心	隙間時間
明け方は 自分がコントロール する時間。 それ以外の時間は 運命に任せる時間だ！	・オーディオブックを聴く ・読書orメール返信

MEMO

今日も自分を優先しようと頑張った。

持ち時間	4	5	6	7	8	9	10	11	12	1	2
活動時間	ボーナスタイム				午前の仕事				昼休み		

To Do List

・朝4時30分起床
・自分だけの時間を準備
・読書or動画編集
・出勤準備、出勤
・朝食

・仕事関連の最新情報共有
・メール返信
・契約書検討
・起案上申

・運動
・昼食（社食）
・銀行にTEL

グローバルリーダーたちのモーニングルーティン

16

毎朝4時に起き、7時までに会社に到着する。
夜9時前にベッドに入ることもない。
眠りは神が与えてくださったプレゼントだと人は言うが、
そのプレゼントを私は今までただの一度も、受け取ったことはない。

私の幼い頃は、保守的な固定観念が蔓延していたため
私はそれを打ち破ることばかりしていた。
ロックバンドで演奏し、木をよじ登った。
こんな私を見た両親は
「あいつはいったい何をしているんだ?」と言ったものだ。

私はある意味、いまだに風雲児だ。
じっとしてなんかいられない、といつも言っている。

世界は常に急速に変化し続け、何が起こるかわからない。
だから毎朝、気を引きしめて一日を始める。
そして勝利するには、自分自身も俊敏に変化を遂げる必要がある。
この信念を忘れない。

――インドラ・ヌーイ　ペプシコ前CEO

エピローグ

明け方は、変化の種を蒔く時間!

「弁護士になったら、人々のモチベーションにつながるような本を書くつもり」と友達に言ったことがあります。

いつの間にか十年が過ぎ、やっとその目標を達成できました。原稿を書き上げるまでは、実感が湧きませんでした。本を出そうと思う意思と確固たる目標はあったのですが、心の片隅では、どんな内容を込めればいいのか、私に出版するなんて本当に可能なのか、誰が私の本を読んでくれるのか、など多くの恐れに足がすくんだからです。

ですが、先が見えないトンネルをくぐることは真の挑戦という考えのもと、楽しみながらこの本を執筆しました。結果が約束された挑戦はありません。新たなことに飛び込むとき、確信が持てなかったり、恐れと不安を抱いたりすることは、あまりにも当然です。真剣な夢を前に、誰しも経験する自然な現象でしょう。こんな感情が、挑戦を思いとどまらせる原因になってはいけないのです。

この本を読んだみなさんには、これから変わる自分に期待していただきたいと思います。単純に朝、早起きして1、2時間を自分に投入することを促しているのではありません。4時30分に起きようが、6時に起きようが、いくらかでも今まで慣れきった空間から抜け出し、前に突き進めることを願っています。その過程から、自分も知らなかった自分自身を改めて知ることになるのです。

寂しく憂鬱で、ひどく疲れるたびに、この本を読み返してみてください。活字だけ目で追うのではなく、積極的にアンダーラインを引いたり、ページの端を折り曲げメモを残してみてください。他の人に寄りかかることでは得られない、もっと深い癒しを得られると信じています。この本は、今まで重視してこなかった自分自身を人生の最優先に置くよう手助けをし、本当に自分に合う生活習慣を改めて見つけ出すことに役立つはずです。

得意なことも、やりたいこともないなら、これからは明け方に起きて一つずつ見つけてもいいでしょう。私たちは、学び、成長しながら自分をレベルアップさせるとき、本当の自我を発見できます。これは、不完全な存在として生まれた私たちが享受できる幸運であり、権利なのです。

またこの本を活用して、気力がなくて何をするのも嫌なときにこそ変化の種を蒔いてほしいと思います。初めは誰かの話をきっかけに始めたことでも、そうやって蒔いた小さな種に、毎日、水と肥料をやれば、いつの間にか根が深く張り、本人の意思通りに成長できる瞬間が来るはずです。私もその瞬間を自ら体験しました。そんな瞬間にふと頭を上げてみると、空に向かって枝を真っ直ぐに伸ばした立派な木が目に映り「私の人生も捨てたもんじゃない」と思えるはずです。

真の成長は、自分が得意なことを探すのではなく、未熟さを認め、昨日よりもっとレベルアップした自分になるために努力することにあります。うまくいくという保証や、やるべき明確な理由がなくても、ただ実践してみてください。そうすれば、自然に良い習慣ができ、それが積み重なって未来を変えてくれるはずです。

最後に、この場を借りて感謝の意を表したいと思います。

私の数ある夢を一つずつ叶えられるようあきらめることなく信じ、応援してくれた家族に深い感謝を捧げます。毎回私の新しい夢と挑戦を応援し、支持してくれた友人や同僚のみんな、本当にありがとうございます！

また私のＹｏｕＴｕｂｅチャンネルをいつもポジティブなエネルギーでいっぱいに満たしてくださるチャンネル登録者のみなさまに感謝の言葉をお伝えしたいと思います。そして、夢を現実にすべく、ご尽力くださったトルネード出版社関係者のみなさまにも感謝申し上げます。

キム・ユジン

参考文献

各リンクは(2023年2月現在)現在。一部は、直接の引用ではなく参照。

1 Samuel E. Jones 他31名, <Genome-wide association analyses of chronotype in 697,828 individuals provides insights into circadian rhythms>, <Nature Communications>, 2019

2 『巨神のツール　俺の生存戦略　健康編』ティム・フェリス著(東洋経済新報社)より一部抜粋・参考

3 https://mymorningroutine.com/arianna-huffington/

4 https://www.cnbc.com/2018/09/14/billionaire-jeff-bezos-shares-the-daily-routine-he-uses-to-succeed.html

5 https://www.managers.org.uk/insights/news/2018/august/jack-dorsey-on-how-to-win-everyday

6 Andrew J. K. Phillips 他 8名, <Irregular sleep/wake patterns are associated with poorer academic performance and delayed circadian and sleep/wake timing>, <Nature>, 2017
(https://www.nature.com/articles/s41598-017-03171-4)

7 https://poy.time.com/2012/12/19/runner-up-tim-cook-the-technologist/

8 Mirkka Maukonen 他 6名, <Chronotype differences in timing of energy and macronutrient intakes: A population-based study in adults>, <Obesity> Volume 25, Issue 3, 2017(https://pubmed.ncbi.nlm.nih.gov/28229553/)

9 Elise R Facer-Childs 他 4名, <Circadian phenotype impacts the brain's resting-state functional connectivity, attentional performance, and sleepiness>, <Sleep>, 2019
(https://academic.oup.com/sleep/article/42/5/zsz033/5316210?login=true)

10 https://www.businessinsider.com/disney-bob-iger-morning-routine-2018-10

11 https://www.cnbc.com/2017/06/20/elon-musks-morning-routine-and-top-productivity-tip.html

12 https://owaves.com/day-plans/day-life-oprah-winfrey/

13 https://www.virgin.com/richard-branson/why-i-wake-up-early

14 https://www.newyorker.com/magazine/2011/11/14/power-walk

15 https://www.balancethegrind.com.au/daily-routines/michelle-obama-daily-routine/

著者

キム・ユジン（김유진）

米国ニューヨーク州、ジョージア州2州の弁護士資格を持つ弁護士。韓国生まれ、ニュージーランド育ち。米国ミシガン州立大学で学士号を取得。エモリー大学ロースクールに進み、卒業後、難関である米国司法試験（BAR）への合格を果たす。学生時代から現在に至るまで、早朝に起き、時間を有効活用することで挫折を乗り越え、多くの目標を達成してきた。その早起きルーティンをYouTubeで公開したところ、累積アクセス数1000万、フォロワー20万人を獲得。韓国国内に「早起きブーム」を起こし、パワーインフルエンサーとなる。現在は韓国国内の大手企業で社内弁護士として活動中。

訳者

小笠原藤子（おがさわら・ふじこ）

上智大学大学院ドイツ文学専攻「文学修士」。慶應義塾大学・國學院大學他でドイツ語講師を勤めながら韓国語翻訳に精力的に取り組むかたわら、大学等での講演や、韓国雑貨販売サイト運営など活躍の場を広げている。訳書に『ある日、僕が死にました』（KADOKAWA）、『私という植物を育てることに決めた』（ディスカヴァー・トゥエンティワン）、『＋1cm LIFE たった1cmの差があなたの未来をがらりと変える』『＋1cm IDEA たった1cmの差があなたの心をがらりと変える』『人生をガラリと変える「帰宅後ルーティン」』（小社）などがある。

朝イチの「ひとり時間」が人生を変える

2023年4月11日　第1刷発行
2023年8月7日　第5刷発行

著者　キム・ユジン
訳者　小笠原藤子

本文デザイン　小口翔平＋畑中茜＋嵩あかり(tobufune)
本文DTP　有限会社天龍社
校正　株式会社ぷれす
編集協力　石橋和佳
編集　麻生麗子＋平沢拓(文響社)

発行者　山本周嗣
発行所　株式会社文響社
〒105-0001
東京都港区虎ノ門2-2-5　共同通信会館9F
ホームページ　https://bunkyosha.com
お問い合わせ　info@bunkyosha.com
印刷・製本　中央精版印刷株式会社

ISBN 978-4-86651-619-6

この本に関するご意見・ご感想をお寄せいただく場合は、
郵送またはメール(info@bunkyosha.com)にてお送りください。

特別付録

モーニングプランナー

｜使い方｜

このプランナー(スケジュール表)は著者が考案したものです。

コピーしてお使いください。

プランナーに書き込んだら、朝早く起きて本格的に一日を準備する前にその日の目標をつぶさに検討しましょう。

一日を終えたら、寝る前に目標が充分達成されたのか点検し、MEMO欄に感想を書き入れます。それから翌日の予定を記入してください。

なお、右記のQRコードを読み込むと、文響社のアンケートフォームからプランナーのPDFをダウンロードできます。

日付 月 日	月 火 水 木 金 土 日	起床時間 時 分	就寝時間 時 分
目標／決心	隙間時間	REMINDER	

MEMO

持ち時間	4	5	6	7	8	9	10	11	12	1	2	3	4	5	6	7	8	9	10	11	12	1	2	3
活動時間																								

To Do List